Palabra
de sombra
difícil

Cuentos Cubanos Contemporáneos

Selección
y prólogo
de Rogelio Riverón

CASA EDITORA
ABR L

LETRAS
CUBANAS

Edición:
Jacqueline Teillagorry Criado

Edición financiada por el Fondo de Desarrollo de la Educación y la Cultura

Diseño editorial
Alexis Manuel Rodríguez, *AleMan*

Corrección
María Luisa García Moreno

ISBN
959-210-208-2
959-10-0673-X

Casa Editora Abril
Prado no. 553 entre Dragones y Teniente Rey,
La Habana Vieja, Ciudad de La Habana, Cuba
CP 10200, E-mail: eabril@jcce.org.cu
Internet: http://www.editoraabril.cu

Editorial Letras Cubanas
Instituto Cubano del Libro,
Palacio del Segundo Cabo, O´Reilly no. 4 esq. a Tacón,
La Habana Vieja, Ciudad de La Habana, Cuba CP 10100

El primer cuento

Una antología es, en esencia, una opinión. Ni el propio Jorge Luis Borges, que insistió en que las mejores selecciones las hace el Tiempo, sabría explicarnos cuánto dura la posteridad, es decir, hasta cuándo aquellas obras que hoy alabamos a través del manto de las décadas –o las centurias– seguirán considerándose imprescindibles. Tienen una permanencia, pero, ¿son eternas? ¿Lo es la memoria humana, incluso en sus variantes de papel, de celuloide o de microchips?

Organizar colecciones (de óleos, de versos, de cuentos) resulta, sin embargo, un derecho de atrevimiento. El que sugiere una idea sugiere, prepara su refutación y, aun así, seguimos opinando. Estos cuentos no son una refutación. Pretende acaso una mirada desde otro ángulo. Me adscribo para ello a un método resbaladizo: no es ni temático, ni generacional, ni quise apelar tampoco a las antologías cronológicas, doblemente *agotadoras*, que suelen abarcar un siglo o más y que, como los dos primeros tercios fueron compilados,

[8] efectivamente, por el Tiempo,[1] no dejan más camino que transcribir siempre los mismos autores (mucho peor, casi los mismos cuentos), hasta desembocar en un momento *presente* que autoriza, por fin, al compilador a correr el legítimo riesgo de profetizar.

Mas, quizás a un intento como el de antologar tampoco lo secunde siempre la necesidad de *llegar a profeta*, sino un mero ademán estético, lo cual es ya admirable. Los cuentos que siguen proponen sólo una manera de *literaturizar* más paciente.

Verbigracia: los años noventa llevaron, en narrativa, el sello de un realismo angustioso que amenazó con eclipsar cualquier otra forma de plantearse la ficción. El cuento principalmente, gracias a su brevedad relativa (se escribe en poco tiempo, encuentra fáciles espacios en las revistas, las editoriales cubanas publican libros de cuentos con prolífica sistematicidad: ¡aleluya!) impuso un estilo parco y una necesidad de *brindar testimonio* y, en consecuencia, una especie de sospecha contra todo lo que no fotografiara lo más tenso del *ahora* social, legitimando así un comprometimiento exclusivo y, formalmente, un lenguaje parco, diz que preciso, pero obligatoriamente reducido, lo cual podrá ser siempre un defecto.[2]

Hablo de un predominio, no de un absoluto. Por otra parte, la pretendida *universalidad* de la literatura

---

[1] "No hay antología cronológica que no empiece bien y no acabe mal; el Tiempo ha compilado el principio y el doctor Menéndez y Pelayo el fin", ironiza Jorge Luis Borges en el prólogo a su *Antología Personal*, (Bruguera, 1983.)

[2] "Las crisis sociales, los vaivenes de la política y de la moral –opina el novísimo Jesús David Curbelo, contrario a lo que ha sido casi el canon de los noventa– son asuntos del periodismo. Cuando el -periodismo no puede o no quiere asumir esas tareas, algunos escritores lo hacen." ("El descarnado contacto con el espíritu", entrevista de María Antonia Borroto. *La Letra del Escriba*, no. 2)

no radica en una purificación fundamentalista, en sacudirse de los contextos sociales, como si la *pureza* del Arte no fuera otra mala metáfora (tanto como aquella de su obligado *comprometimiento*). No se pierde lucidez por el deseo de dar fe de un momento *real*, sino por hacer de lo efímero que hay en la cotidianeidad el sagrario de efímeras inclinaciones estéticas.

Tampoco el dominio de un movimiento o de un determinado estilo garantiza o descompone la salud de una literatura. La última década del siglo pasado permitió, por ejemplo, a la narrativa cubana momentos de esplendor que no se vieron en los ochenta y, por lo mismo, la génesis de un entusiasmo que, a decir verdad, encontró enseguida sus oponentes. Lo malo (¿necesito decirlo?) no es el realismo, sucio, angustioso, neocrítico –a fin de cuentas su imperio en las literaturas es secular–, sino la simpleza con que, en ocasiones, se le asume, creyendo que no da para más.

De modo que este mínimo panorama no pretende rehacer las memorias, de lo que, con lógicas erosiones, ha sido y quizás siga siendo para algunos la década de los noventa del siglo XX, sino recordar que también se ha escrito sin aquella nerviosa necesidad de hipérbole periodística. De hecho, no es esta la primera vez que se piensa un libro con preferencia por las miradas alusivas, incluso desde otras zonas de la memoria, en oposición risueña al estupro, la tortura *lineal* y otros abusos, tan caros a los narradores de los noventa, obviando cualquier pertenencia generacional. Los cuentos que he escogido no evaden eso llamado *realidad*, pero han querido distanciarse del sustrato elemental de lo que sí considero una literatura pobre. Creo todavía que la idea que un lector anónimo –ese ente esperanzador, idealizado y virgen en el que se escudan los escritores– puede tener sobre la narrativa cubana del momento está supeditada a una

[10]   prosa urgente, anclada como deber en el presente al
que trata con la severidad de un padre adusto. No
propongo, en consecuencia, un manojo de cuentos que
anden por las ramas, sino que, en mi opinión, han visto
el hecho literario como algo obligado a prever otras
esencias y a complicar su búsqueda, aun dentro del
propio canon realista. Son textos sustentados en lo
alucinatorio, la parábola, el humor y la aventura del
lenguaje (que es trabajarlo a conciencia, dejar que también él se sirva del escritor y no, como suele afirmarse
de mala fe, la algarabía verbal, lo rebuscado y el banal
adjetivismo).[3] El resultado es un juego corrosivo a veces, (por ejemplo, en Marcial Gala, que se vale de una
triste ironía para calar, casi siempre desde perspecti-
vas alienadas, en eso que un mal cronista insistiría en
llamar *el devenir cotidiano*, o en Ena Lucía Portela, que
extrae de un entorno particular como pocos unas fin-
gidas –y quién sabe si no tanto– reflexiones sobre la
existencia, el kistch y lo vacuo*)*; otras de una densi-
ficada, cuando no sarcástica metafísica (Alejandro
Robles, Jorge Ángel Pérez); otras apelando a la
confusión y el disparate como estética que no deja de
someter a oportunas tensiones lo tradicional de la escritura y de su objeto (Soleida Ríos), o haciendo de la
Cultura un instrumento polisémico que sirve para em-
bromar –*Los sabios se ríen temblando*, se complacía en
repetir el ilustre Nicolai Vasílievich Gógol–, o para traducir los mismos asombros de siempre y corroborar
como de paso que todo es cíclico, y que todo se va y
retorna y nos encuentra un poco más allá en el camino del (des)conocimiento, como sugieren los cuentos

---

[3] No apelo a una escritura *en trance*; me gusta, eso sí, la idea de
Octavio Paz –idea de la que él responsabilizaría a otros, a los
místicos, por ejemplo, y estos a Dios– sobre el lenguaje como un
fenómeno que engloba las realidades del escritor y del lector
(Ver: *Los hijos del limo*, Planeta, 1987).

de Jorge Ángel Hernández Pérez, Ernesto Pérez Chang, Alberto Garrido y, quizás, el mío. Jesús David Curbelo se adueña, por su parte, de un soplo de la llamada literatura oral campesina y lo fija, redimensionado, en un texto en el que se divierte con un tremendismo propio del folclor, mientras Ronaldo Menéndez y, también, Lorenzo Lunar se van a los escenarios de la marginalidad dispuestos a dinamitar los procesos con que algunos escritores que hoy en Cuba asumen ese tema, han ido construyendo una amenaza de caricatura y de rechazo previo. Saturnino Rodríguez se basa en piezas magras como los asuntos con los que se entretiene para moldear una suerte de miniensayos sobre lo banal y lo imperioso, mientras Ana Lidia Vega Serova (siempre me he preguntado por qué no escogió como su nombre literario el de Anna Serova) arma para desasosegarnos una escenografía puntillosa, en la que uno adivina el color de cada objeto y de cada ambiente. Su táctica es la inocencia.

Uno de los rasgos de la literatura es la reincidencia. Son los ciclos de su desarrollo los que hacen que su objeto –el Hombre– quede manifestado en formas y subtemas que afloran, hibernan, y resurgen coloreados con las cifras de un tiempo que, a decir de Alejo Carpentier, pudiera ser el mismo, aunque con otra edad. Bastó con la sospecha de que ya los conocidos como *novísimos narradores cubanos* comienzan a dejar de serlo, para que vislumbráramos el apaciguamiento de esa preferencia por decir lo urgente y decirlo a gritos que lleva más de una década instalada en nuestra narrativa, si bien (repítase) no es patrimonio exclusivo de esa promoción. Autores, a quienes Salvador Redonet hubiera llamado *post, ultra* y sabe Dios qué otro tipo de *ísimos*, (no descartar a *novísimos* por edad que entonces no ejercieron, como Noël Castillo, quien, a partir de personales *filtraciones* de la Filología (des)organiza

[12]   una especie de carnaval narrativo), han optado por otras poéticas que, aunque es temprano para fijarlas en cláusulas de las que se haría fácil burla, albergan una intención más aguda hacia el interior del ser humano (Aymara Aymerich) y, formalmente, una especie de apropiación de rasgos de otras artes, como puede ser el cine. Me parece entonces interesante el caso de Carlos Esquivel, quien viniendo de la poesía –no digo que habiéndola abandonado–, dota a los asuntos que antes se nos daban como inevitablemente trágicos con una pátina de lirismo y con referencias culturales que mantienen su vigencia en nuestras estéticas de lectores.

Pero, incluso una misma generación no siempre escribe igual. Tácitamente o no, nos vamos transformando y en esta *palabra de sombra difícil* que el cuento es (solo al cuento se le exige y se le cobra por la *perfección*, porque nos propine un knock-out tras otro, por que se le escriba según decálogos, y, en fin, por que *cuente,* cuando ya ha *contado* de otras maneras), me da gusto arrimar al fuego de los debates o simplemente al fuego imprescindible de la lectura unas cuantas piezas que afirman la variedad de estilos y temas del cuento cubano de ahora mismo, y en las que veo madurez, garra (¿son estos escritores *unas fieras*?) y la posibilidad del nada desdeñable placer.

De modo general, ¿es el cuento, en Cuba, un género saludable? Claro que sí. ¿Es rozagante, un portento de género como para saltar de entusiasmo? No lo sé.

ROGELIO RIVERÓN
La Habana, marzo de 2001

El paciente espejo
del pirata José Ramón Pérez Pita

—Ana Cecilia... de la Rosa –respondió ante la mirada de tonto del pirata.

Podía haber agregado otros nombres, con la correspondiente hilera de ilustres apellidos, pero había comprendido en el impulso que las tres primeras letras hubieran satisfecho al interrogador, pasmado ante el cuerpo desnudo, turgente, irresistible como una aparición. La sorpresa, dueña de la situación, irónica hasta el colmo del desprecio, dejó que se adentrara aún más en su ridículo.

—Ni un movimiento en falso, ni una trampa, ni el más mínimo intento de gritar –advirtió, con fuerza maquinal en el tono de la voz, inconsciente de su función previsora en el diálogo radial.

Ana Cecilia, sorprendida más por la actitud del asaltante, tan terrible en su aspecto, que por la repentina presencia, no intentó cubrirse, ni siquiera con ese absurdo gesto femenino de cruzar los antebrazos por encima de los senos. Asintió casi imperceptiblemente, ajena a toda razón que pudiera provocar tantas

[13]

amenazas y medidas preventivas. Segura de sí estuvo desde el inicio, pero la intranquilidad emocional de aquel pirata, delatado por la humilde actitud que lo hostigaba debajo de tanta autoridad convencional, comenzaba a inquietarla, a incitarla a tirar de las sábanas y cubrir su cuerpo, o al menos a hacer un gesto ligeramente protector. (No era de esperar que la sorpresa cediera su terreno fácilmente).

Con firme voz de mando y diáfano tono de imbatible autoridad, el temible asaltante le informó:

—Desde este momento forma usted parte del botín.

Sorprendida realmente, la muchacha optó por arrancar de un tirón la tela de las sábanas y cubrirse con un giro del cuerpo, lo cual hizo con hábil prontitud. En sus planes no estaba semejante reacción. Perfectamente supo del ataque, previó las zonas de saqueo y escogió el lugar y la forma en que sería descubierta. La confesión de una amiga de su madre, con quien había trabado una secreta amistad, y sus instintos personales aún sin estrenar, la habían conducido a este momento. Se entregaría al pirata con fingida resistencia, como si en realidad se dejara llevar por el terror inmediato. Pasado el tiempo del primer suceso, decidiría si emprender abiertamente una actitud de cómplice. Así, repetiría tales emociones sin quedar a merced de chismes y habladurías de villorrio. Pero pasar a prisionera era un asunto para el que no se había preparado. Sabía que el violador desconocido podría ser un hombre despreciable, desfigurado, maloliente acaso; se había decidido consciente de que se arriesgaba a insospechados maltratos aun cuando era conocido que la piratería gozaba de una fama de crueldad exagerada y que sus relaciones con los habitantes de la villa y de los caceríos armonizaban a la perfección. Para sus fines le bastaba con la emoción, con que el aparecido (o los aparecidos) tuviera una verga que mirar y conocer, un miembro que la penetrara y que arrastrara en su empuje ese cosquilleo irresistible que alteraba sus noches. El gesto de cubrirse, la timidez repentina, que ahogaban la indemne postura de su desnudez, devolvían al aturdido agresor la confianza en sí mismo.

—Y no tienes nada que temer –susurró.

Se acercó sin dejar de mirarle a los ojos, profundamente, casi en éxtasis. Con movimientos viriles, pero amables, acarició su rostro, rozó las apacibles mejillas con su cara curtida por el mar y abrió el manto que debía servir de protección. El cuerpo desnudo brincó hacia él con decisión y las manos diminutas palparon con ávido interés la fuerza de los músculos.

Los consejos de la amiga secreta, un tumulto sin tino en su recuerdo, perdieron su papel de lección y el instinto condujo cada uno de sus gestos. Era su hamartia –única tal vez; desconocida sin duda para ella–: su hamartia. Buscaba el cuerpo desnudo debajo de las ropas; echaba abajo el camisón, los pantalones rasgados, los zapatos: quería sentir en su cuerpo cada centímetro de la piel de aquel hombre, quería saber cómo un amante se entregaba palmo a palmo hasta quedar indefenso y sin botín. El riesgo parecía bien resarcido. La suerte le entregaba a un hombre fuerte, imponente, que alentaba en ella una seguridad inclaudicable, un ansia creciente de atrapar todo cuanto se había ocultado a su imaginación. Sería una inspiración, o quizás fuera también un empleo inconscientemente precursor de la paronomasia que García Márquez llevaría hasta el delirio, pero Ana Cecilia de la Rosa María Lutgarda Segunda Jiménez de Quesada (y algunos apellidos más) llevaba en la sangre la habilidad para hacer el amor con magia de ardiente meretriz y candor de sutil adolescente. Rendido ante la actitud de la joven, que no cesaba de palpar, de probar el sabor de cada músculo, de intentar apresar el misterio del sexo que la había hecho llorar durante meses su ignorancia, el pirata quiso jurarle amor eterno, confesarle que nunca en su vida de amante y violador había sido tan inmenso el empuje de la habilidad y alguna que otra frase galante que le permitiera disminuir la evidencia casi vergonzosa de su derrota. Pero, como estaba hecho para rudos abordajes y mañosas transacciones, le recordó que era parte del botín y que pondría su vida en serio peligro si intentaba escaparse.

—Mi nombre de verdad es Sebastián, pero me dicen El Tajo –dijo mientras ella se vestía lentamente, recuperada en toda su confianza, aunque tal vez un tanto alterada por la curiosidad.

Una mujer así, pensó él, sin dejar de mirarla, es lo más grande que puede pedírsele a la virgen.

Así fue como Ana Cecilia Jiménez de Quesada (para resumir) pasó a ser parte de un botín pirata y alteró el curso existencial de toda la tripulación, de su ilustre familia y del inspirado habitante de la villa, José Ramón Pérez Pita.

El Tajo había levantado la admiración repentina de todos los marinos. Sabían que un hombre solo no puede regresar cargado de despojos y, además, con una prisionera en la que no se advierten huellas de maltrato. Lo del rapto no era más que un pretexto para conseguir que respetaran el ingreso de la joven al barco. Tal vez fuera la reacción del capitán al mirar esos ojos o que cada uno logró captar esa mirada por un instante o quizá el balance de la intriga entre una situación y otra; cuestiones todas que los piratas, poco versados en el análisis del relato, prefieren no apuntar; lo cierto es que Ana Cecilia subió sin ningún contratiempo, sin advertencias ni plazos que reglamentaran su estancia. A bordo, sintió que nada había aprendido de ese misterio que pretendía desentrañar, que la aparente magnitud del imprevisto no era más que un pálido comienzo, un punto de partida en la infinita carrera que debía esperarla. Sobre las mantas rugosas donde habían hecho el amor hasta el agotamiento, Sebastián el Tajo, escuchó las palabras que rompían, sin lugar a inmediatos forzamientos, su compromiso y supo, en medio de divinas caricias y con toda la solemnidad de una figura retórica ya hecha, que ella se sentía libre y ansiosa por hacer el amor con otros hombres. No es que la usaran ni que alquilaran su cuerpo como lo hacían con algunas mujeres en los puertos, sino que ella se hacía conquistar. No podía deslumbrarse ante el oro atesorado, las telas o las joyas, porque todo ese lujo le había sido familiar desde la infancia. No podía impresionarla la seguridad en el mando del joven capitán, porque ella había visto a su padre tratar con militares enérgicos y recios rancheadores. Se maravillaba solo ante al ansia de sexo que brotaba de aquellos que se le acercaban, ante el esfuerzo que hacían por conquistarla y ganarle en la lucha que se abría entre los cuerpos. Unos y otros conservarían como trofeo en su memoria haberla iniciado en este o aquel recurso del amor, pero todos ellos llegaban a saber que ella habría de derrotarlos una vez que su instinto aprehendiera la lección. Mantas, velámenes, tablas rasas, banquillos, rollos de soga, la línea de cubierta y el para el caso muy cómodo lecho del capitán, se empaparon con el sudor de su cuerpo desnudo y se impregnaron del olor que brotaba en sus orgasmos. Quería saber; sentía que un lenguaje muy hondo la esperaba más allá de ese misterio inextinguible, que entregarse a las caricias de un hombre era algo más que un rito, más que un placer, más que un momento de amable concesión. Y aprendió que no hay hombre perfecto así como tampoco hay hombre totalmente inútil para las lides amatorias. Aun cuando cada uno de ellos le entregara lo mejor de sí, nada sería si no sentía a la vez lo mejor de aquellos que antes se le habían entregado y de aquellos que imaginaba recibir.

Los piratas no podían entender tamañas sutilezas y acaso ella misma no sabía organizar el porqué de su búsqueda y la razón de su apetito. No sabía, a fin de cuentas, que era el peso de su hamartia el que empujaba sus ansias y horadaba la lógica.

Así comenzaron las revueltas, asesinatos y rencores. Las viejas rencillas afloraron bajo el disfraz de la rivalidad. Una antigua deuda entre los dos vigías, contraída en el final de una partida de dados, supuestamente saldada en el olvido, tintineó moneda por moneda, puño por puño, después de porfiar desesperadamente que la muchacha los miraba con algo de favor. El pirata más joven de la tripulación humilló a su protector llamándole cáncamo gastado, inútil y tirano, y recordando en público que él salvara su vida en un momento de peligro. Panakis, el griego lector del lenguaje que hablaban las estrellas, descubrió, a despecho de su siempre fiel Sachidis, que en la línea de Venus él era el sátiro más privilegiado. El contramaestre, quien soñaba llegar a capitán, multiplicaba las órdenes para que la constante ocupación no les permitiera rondar a Ana Cecilia. El propio capitán hundió la daga en el estómago de su amigo el escribano, a quien había rescatado de una condena por falsificación, al descubrir, oh cuervos criados, que ese joven consumía su turno cuando él se rendía en el cansancio. Y así, hasta agotar tantas y tantas hipérboles de sexo y de violencia.

El mañoso Sebastián el Tajo, reconocido cada vez menos como el ariete quebrador de la santificada Ana Cecilia, propuso la idea del rescate. Sí, lanzarse a altamar con semejante manzana de la discordia arriesgaba la vida de cada uno de los tripulantes, el capitán lo comprendió, no sin un molesto sentimiento de culpa, no sin la incomodidad de aquel que ejecuta una orden que no siente, asunto más que opuesto al arquetipo de valor de los piratas. Pero el sentido práctico se impuso al influjo romántico (aun fuera de época) y Sebastián el Tajo, el hábil negociador, fue enviado a la costa en secreta misión o, más bien, aparentemente abandonado en una escaramuza.

No fue difícil hacer las conexiones y comenzar las demandas.

El señor Jiménez de Quesada había tenido la prudencia de no armar aspavientos y el aplomo y la energía suficientes para neutralizar a su esposa. Esperaba, impaciente ya por la demora, el arribo de una embajada solicitando un alto rescate que podía disminuirse en ligeros regateos. Sabía que no dañarían a alguien que podría proporcionarles una buena recompensa, aunque el tiempo habitual en el que se iniciaban las negociaciones había sido consumido. Sorprendido ante lo ínfimo de la demanda, aceptó el precio en el momento, sin suspicacias y sin regatear. De más está decir que El Tajo le juró que la integridad de su hija había sido respetada hasta en sus más mínimos detalles y que el trato al que había sido sometida no comprendía nada que la desagradara, lo cual era totalmente cierto. Y advirtió que, por cuestiones lógicas de seguridad, el lugar del canje y los detalles relacionados con el procedimiento no serían revelados hasta el último instante.

Ana Cecilia era la única hembra –por suerte, decía su padre– de una familia de cuatro hermanos. El mayor, de quien no tenían noticias hacía más de dos años, había tomado un barco en el puerto habanero, supuestamente rumbo a Canarias, después de haber sufrido una decepción amorosa. El siguiente, cuatro años mayor que ella, había partido apenas un mes antes, para [19] buscar a su hermano, desde Puerto Príncipe. El menor era aún un niño y no tenía conciencia de las responsabilidades y peligros que acechaban a quien era raptado por los piratas. Más bien le parecía interesante la aventura y le admiraba saber a su hermana en ese lance. No fue, como su padre lo solicitara, nada discreto. En menos de un día el suceso fue noticia en la villa. El señor Jiménez de Quesada desmintió todas las versiones y explicó las causas del increíble viaje que la había alejado. Parecía buen filón para la sátira: también la única hembra se marchaba, repentinamente; información que proporcionaba el otras veces arisco cabeza de familia. Esta vez la hablilla popular no reclamaba un viaje, sino que manejaba la posibilidad de un rapto.

> Fuese en prisión de piratas,
> tras innumerables penas,
> a sufrir por las cadenas
> que amarraron a sus patas.
> Digan las lenguas sensatas
> que hubo recia castidad,
> pues cuentan que la verdad
> nadie en sus manos ajusta;
> porque, si canta la fusta,
> ¿quién pone contrariedad?

Este era el tono de la copla popular, el golpe de la décima, vasija en que el cubano vertía sus humores, acentuado en la medida en que la espera dibujaba una franja de temor en el rostro del hermano menor de Ana Cecilia, quien había dejado ya sus secretas revelaciones, no solo porque quedaran pocas personas a quien no se hubiera confiado, sino porque comprendía que su madre había comenzado a consumirse.

No todo podía ser sufrimiento familiar y burla colectiva.

José Ramón Pérez Pita, el menor de los hijos del colono sospechosamente arruinado Ramón Ramón Pérez Pérez, a quien prepararan durante un largo periodo para funciones clericales con aceptables progresos, sufría heroicamente la situación del rapto. El heroísmo no radicaba en que hubiera formado una partida de valientes para enfrentar a las huestes de ese capitán Laferté que asaltara la villa, ni en clamar al señor con dramatismo de místico orador, ni en imponerse penitencias, sino en su llanto solitario, en su estoico padecer, que iba dejando páginas de inspirada épica relacionadas con el suceso. José Ramón había renunciado a su familia un año antes, cuando su padre, declarado en deuda absoluta y bajo temor de ser acusado de traición a su majestad, abandonó la villa con rumbo desconocido y sin enterar ni a su amigo el capellán, de quien tenía inconfesables sospechas. Los motivos que lo hicieron quedarse no eran conocidos más que por el propio Pérez Pita. Al señor Jiménez de Quesada en persona había suplicado un empleo en su finca hasta obtener, más por cansancio que por convicción, un puesto de porquerizo que le pagaban con la comida y alguna ropa. Había sobrepasado todas las expectativas en su desempeño. Su capacidad para el trabajo se hacía notar gracias a esas motivaciones secretas que lo retuvieran en la villa: un amor infinito, no confesado ni al Señor, por Ana Cecilia de la Rosa María Lutgarda Segunda Jiménez de Quesada y Ayala (para no continuar).

Como era común tomarlo por un poco lelo, gracias a su afición por la lectura, su desinterés por los asuntos materiales y su actitud distraída, era difícil sospechar el verdadero fondo de sus intenciones y, menos aún, relacionar las noticias sobre el rapto con su repentina enfermedad. Gracias al empleo contemplaba diariamente, al menos una vez, al objeto secreto de su amor. Desempeñaba sus funciones con notable perfección, presto siempre, feliz por su destino. Y a la luz del candil de las noches de calor, en el rancho vara-en-tierra que le habían permitido conservar de las propiedades de su padre, rasgaba uno que otro verso inspirado en la belleza de la joven. La idea del rapto, saber que semejante beldad, la más bella entre las bellas, temblaba a merced de sanguinarios piratas, había caído como una enorme peña en su pecho. Enfermó de repente. Entre incesantes vómitos y estados febriles totalmente desordenados, se vio redactando un poema que haría temblar de envidia al propio Alonso de Ercilla. En octavas reales, con versos candentes y llenos de tensión dramática, rematados en rimas que hacían fluir el discurso como un manso arroyo, narraba la mordaz captura, la feroz resistencia, la vileza del plan, el valor de la familia y los vecinos de la villa. Por último, con mucha discreción, la mención de los versos de un humilde poeta consumido de amor por tan bella actitud y tanta firmeza en mantener la castidad. Contrastaban los rostros ahítos de maldad de los piratas con la belleza hechizante de la pobre indefensa, la lujuria insaciable y repulsiva de los hombres con el candor y la inocencia de la joven, el olor nauseabundo del camarote que servía de prisión con el aire fresco y añorado de los bosques, la visión sucia y miserable del interior del barco con el grato esplendor de la campiña, los fantasmas errantes en las noches de fuegos de Santelmo con el brillo infinito de las estrellas en el campo, y la vulgaridad infamante de las coplas y décimas que en envidiosas voces circulaban con la sublime devoción de quien llevado por el amor podía escribir.

La inestimable inspiración de José Ramón Pérez Pita lo llevaba a escribir verso tras verso sin que la náusea, el fuego arrullador pero abrasante de la fiebre o los esporádicos vómitos, lograran cortar su torrente creativo. Podía decirse que estos inconvenientes se convertían en alimento, si no fuera una frase tan pueril. Con el título, que había encontrado tras la última línea, cesó la enfermedad. Con mirada ya libre de estrabismo febril, el poeta enamorado, devenido cantor épico, leyó por primera vez su propio texto. Según las normas del estilo, faltaba al poema la distinción que siempre concede la mitología y era de lamentar tanta fauna criolla y frases carentes de elegancia retórica, así como el exceso de tropos lexicalizados por el habla común. Esta fue la opinión de Jiménez de Quesada, convencido de que su loco porquerizo no se marcharía hasta que él no repasara el texto. Pérez Pita coincidió plenamente. Iba a mostrarse dispuesto a emprender las enmiendas, cuando la amable voz del padre de su Ana Cecilia se interpuso para prometerle que haría lo posible por dar curso al asunto. Jiménez sabía que no hay nada como dar esperanzas para ganar tiempo.

—Vaya tranquilo a su trabajo, que le avisaré –le aconsejó, palmeándole en los hombros. Y, antes de verlo marchar definitivamente: –Y pronto, más de lo que usted imagina.

Para José Ramón Pérez Pita, el tiempo se dividía en momentos de contemplar a Ana Cecilia y momentos en que soñaba verla, y se medía en dos formas perfectamente ajustadas a tales requisitos. Por eso había decidido titular su poema "Espejo de la paciencia", aunque, llamado a reflexión, lo sustituyó por "Espejo de la paciencia y castidad de Ana Cecilia de la Rosa María Lutgarda Segunda Jiménez de Quesada y Ayala Ramos de Balboa, que a Helena de Troya ha superado." Marchose, eso sí, contento y muy esperanzado.

Glorificar a un ser tan puro es lo más grande que los dioses pudieran conceder, pensó mientras regresaba a los corrales.

[23]

[24]   Si será imbécil, se decía al mismo tiempo el ya desesperado padre de Ana Cecilia. Dar el poema a la
publicidad, lo sabía y mascullaba una y otra vez
la maldición, significaba poner al corriente del rapto
hasta al mismísimo gato de la villa.

Se disponía a lanzar el manuscrito al fuego justo
cuando, casualidad del arte, aparecieron las señales
de Sebastián el Tajo. Mecánicamente, delegó la enco-
mienda en una de sus esclavas y se dispuso para la
entrevista.

Sabemos ya que, sin regatear, aceptó el precio del
rescate y prometió no mezclar a las autoridades. Desco-
nocemos, sin embargo, qué decidió hacer con el ya peligroso porquerizo en su recién revelada condición de
autor, ni qué hizo la esclava con el manuscrito, redacta-
do en menos de tres días del mes de septiembre de 1599,
en la villa de San Juan de los Remedios del Cayo.

¿Qué hace la esclava cuando le entregan al pequeño
heredero que su padre ha maldecido gracias a la profecía? Compadecida, lo coloca en una canasta y lo deja a
su suerte en algún río. El niño es adoptado: la profecía
se cumple. La esclava a quien se le había dado la orden
de echar el manuscrito al fuego no andaba muy bien
en cultura clásica y, en cambio, sabía con quemante
exactitud que desobedecer al amo podía marcarle el
rostro para el resto de sus días. Sin detenerse a mirar
los rasgos apretados de la letra, que no hubiera entendido, tiró a la hoguera un cuaderno al que no concedía
ningún valor histórico, ético o filológico.

Con José Ramón sucedería algo más acuñado por
la tradición: el padre, preocupado por el futuro de su
hija, da de beber al intruso en la copa del olvido y lo
envía a un viaje de placer y negocios. Así fue como la
única condición impuesta a los piratas por el señor
Jiménez de Quesada fue la de incluir en el botín a su
inspirado porquerizo. Saber que justamente por él

sería cambiada la divina Ana Cecilia, lo hizo experimentar la mayor felicidad del mundo y aceptar sin poner la más mínima atención a esos engorrosos detalles sobre planes futuros de rescate, fortuna y gloria terrenal que el amable señor, pluguiera al cielo que futuro suegro, intentaba explicarle.

Nada más simple para un señor de buen nombre que un negocio con una partida de piratas. José Ramón Pérez Pita subió al barco bajo el éxtasis total de la visión de Ana Cecilia, más limpia después de su agónica firmeza. Fue aceptado con maliciosa duda, que oscilaba entre tomarlo como sustitutivo (aunque nunca sería igual) o arrojarlo por la borda apenas llegaran a altamar. Los marineros, guiados por El Tajo, cargaron el pequeño rescate. Ana Cecilia volvió junto a su padre sin nada que lamentar, dócil y dispuesta a acatar cualquier condición que su familia le impusiera, convencida de que, bajo su intensa aplicación, nunca podría conocerlo todo de ese lenguaje que aprendía.

Tal vez la devoción del poeta por la joven –ella era, en esos momentos, la figura principal e indiscutible del altar pirata– o quizás lo divertido que resultó a los marineros (no confundir: gracias a que sabía el texto del poema de memoria y podía recitarlo a petición, inmutable ante el estruendo de las carcajadas) o a lo mejor porque podía asumir perfectamente las funciones vacantes del escribano, algo brilló en su suerte y permitió que lo aceptasen al menos hasta llegar a puerto.

La vida en el mar no le hizo perder su devoción, su amor para entonces confesado a todo el mundo, pero sí curtió su piel, tostó sus músculos y le infundió un apetito animal por la hembra, sin identidad ni formas, que nunca antes había reconocido y que le hubiera permitido con tanta posibilidad conseguir la unión que regía su quimera. Aprendió a manejar las armas blancas y a preparar las cargas exactas para las armas explosivas y, sobre todo, a ser un ayudante imprescindible para el capitán. Hasta que un día, tras abordar un galeón rumbo a Santo Domingo, descubrió entre las prisioneras el rostro inolvidable de Ana Cecilia. La tomó de la mano –separándola de su aterrado esposo, novato en nupcias y abordajes– con la decisión de un marinero endurecido por la vida. Ella se dejó llevar anhelando esa hambre sexual que adivinaba y presintiendo, además, que su lenguaje estaba a punto de comprender desconocidas estructuras.

Dispuso libremente, y por derecho indiscutible, del camarote del capitán.

Sobre la cama que su antecesor vigilara, oprimido por la exaltación, se entregó a un amor torpe, inhábil, empañado por la seguridad de su pareja, aun cuando sus instintos vibraban de necesidad. Y, cuando hubo vencido el sobresalto, sintió el olor de los corrales que nunca había notado, que apenas recordaba; lloró la humillación de su familia y se cagó en la madre del señor Jiménez de Quesada. Supo, también, que eran ciertas las historias que hacían los piratas y que ninguna de las hazañas contadas podía superar la realidad palpable de esa mujer nacida para hacer el amor (conservaba su aire petrarquista, aunque era de esperar que un algo voltereano comenzara su efecto en ese instante y cruzara los mares, rumbo a Europa).

Ana Cecilia regresó llorando a los brazos de su esposo –quien optaría por la discreción– no para fingir ni, tampoco, decepcionada irremediablemente. Había reconocido su impotencia para ganar en la lucha a ese hombre que hubiera muerto por tenerla y en cuya mente se agolpaban las más audaces acrobacias de la cópula, llenas de espléndida lujuria y dúctil maestría. Había enfrentado su primera derrota –y la última, porque nada podría vencerla después de conocer la táctica–. Comprendió, mientras sollozaba en el hombro de su esposo, que eran esas las nuevas estructuras que acudían a su lenguaje y que nada podía destruirla si, en lugar de enfrentarlas, las sumaba. Y ese llanto, esa actitud indefensa de la joven concedió un profundo respeto hacia el pirata José Ramón Pérez Pita y apagó las búsquedas de mitos que ceñían su leyenda.

Pero el poeta porquerizo, que había renunciado a su familia, prefirió no salir a recoger las prebendas de la fama y pidió autorización al capitán para encerrarse, decepcionado por los crueles espejismos de este mundo. Del encierro brotó, primero lenta, rítmica después, vertiginosamente al fin, una obra repleta de engaños, picardías, traquimañas y sucios personajes; una obra que asesinaba al poeta ya definitivamente.

Sin el más mínimo desdén, sin sombra de desgarramiento, la abandonó a su suerte en un barril, en altamar. Como la vez anterior, la tituló una vez terminada y releída: *Reverso de la imagen que el espejo de la paciencia muestra.* Supo, sin remedio y al instante, que tanto pillo, tanto tramposo y tanta deslealtad no estaban conformes con las normas del estilo. Era el arma terrible de la burla, sobre la que sólo el destino podía decidir –lo que sí se acercaba a la costumbre clásica–. Tal vez llevado por un rapto de modestia, en el último instante atribuyó el manuscrito a un tal Doctor Ralph, alemán que lo había compuesto a partir de las notas del francés Arauet quien, a su vez, había contado con la colaboración del patagonio J. Borges.

No cobró el precio del rescate por los diez prisioneros, pero sí aceptó los regalos del capitán Laferté y su proposición de continuar siendo su ayudante personal. El pirata nacía definitivamente de las ruinas de un poeta.

Y una tarde de invierno de 1603, en las Tortugas, pasado de tragos y con la lengua suelta, se atrevió a [27]

[28]   aconsejar al capitán Gilberto Girón, amigo personal de Laferté:

—Si prepara un rapto, no escoja una mujer, mucho menos si es joven. Búsquese un cura.

Y, tras un trago que ya no toleraba:

—Un obispo: es lo mejor.

ana lidia vega serova

En el fugaz límite
del silencio

A los doce años descubrí que mi madre le era infiel a mi padre.

Fue una de esas raras ocasiones cuando todos estábamos en casa y para colmo teníamos invitados. Papá tocaba el piano y los demás, algo bebidos, bramaban "toreador, toreador".

Yo me caía del sueño y esperaba la ocasión para irme a la cama sin ceremonias. Mi eterna aliada, Verónica, no se encontraba en la sala y fui a buscarla con el propósito de que me disculpara en el momento oportuno.

La encontré en la terraza, en los brazos de mi madre, intercambiando palabras por las que me hubieran roto la boca si osara pronunciarlas.

A partir de ese día enmudecí.

Mi madre era una mujer extraordinaria en todo. A pesar de su pequeña estatura y apariencia frágil, poseía una energía arrolladora. Tocaba en la Sinfónica [29]

[30]   Nacional un instrumento poco usual: el arpa. Viajaba constantemente y nunca me prestó demasiada atención desde que la desilusioné a los seis años anunciando que odio la música. De vez en cuando, todavía caía en arrebatos maternales, entonces se pasaba dos o tres días preocupándose intensamente por mi salud y educación. Me rellenaba de vitaminas, aceite de hígado de bacalao, zumos naturales y horribles como el de la remolacha, por ejemplo, o el de col. Me levantaba en plena madrugada arrastrándome a las calles para hacer ejercicios al aire libre. O se empeñaba en que de un modo urgente y atropellado aprendiera el francés y el italiano, idiomas que aseguraba dominar como una nativa.

Traté de soportar generosamente sus caprichos, suspirando siempre con alivio cuando los abandonaba tan repentinamente como los emprendía, o los interrumpía por el ocasional viaje.

Mi padre fue menos apasionado en relación a mí, aunque no más estable. También era músico, afinador de pianos, y también se encontraba viajando la mayor parte del tiempo. Parecía recordar que yo existo sólo cuando me tenía delante, entonces buscaba con cara de sorpresa en los bolsillos, hasta dar con algunas monedas y alejarme entregándomelas: "ve, cómprate algo, un dulce, cualquier cosa" –decía desviando la vista. Pero cuando menos yo lo esperaba, se acercaba silencioso y me abrazaba largamente con lágrimas en los ojos.

Poco tiempo después de mi nacimiento y por un acertado acuerdo, mis padres invitaron a mudarse para nuestra casa a Verónica, una parienta lejana, y le confiaron sin demasiados escrúpulos mi vida.

Verónica era mi mejor amiga.

Representaba lo sólido, equilibrado, razonable en mi trato con el mundo. Antes de vivir con nosotros se ganaba el pan cosiendo a máquina vestidos de novia y conservaba el álbum con las fotos de los trajes confeccionados por ella. Conocía innumerables historias sobre las personas de su ciudad natal, terribles y bellas, me las contaba en voz baja: era como ver una telenovela. Para gran suerte mía, odiaba tanto como yo la música clásica, aunque por una razón diferente: no la comprendía.

Yo, en cambio, la comprendía demasiado, la sentía hasta la médula y me daba vértigos. Era tan efímera, tan emocional, tan inestable, como mi madre con sus constantes cambios de humor, como mi padre con su inexplicable vaivén entre la ternura y el rechazo, como mi casa, grande, misteriosa, llena de espejos y sonidos, como mi propio nombre.

No sé a cual de los dos se le ocurrió llamarme Apolinaria. Decía que sonaba a sinfonía y me sabía a absurdo, a locura. Verónica con el tiempo le halló un paliativo, no menos idiota, pero con la ventaja de la sencillez: Poni, pese a las protestas de mis progenitores.

Ella nunca discutió con ellos, más bien se anulaba cuando estaban en casa. Se refugiaba en su cuartico del messanine entre sus tesoros: el álbum con las fotos de sus creaciones modísticas, una cajita de música que no sonaba, pero su bailarina pequeña se obstinaba en dar vueltas con los brazos en alto, una colección de muñecas que estaba prohibido tocar, el cofre con carretes de hilo y la máquina de coser.

Yo la seguía y entre las dos pasábamos mucho rato entretenidas, calmas, mientras la casa se llenaba de amigos de mis padres, de risas y de música, hasta que llegaba el momento de hacer acto de presencia. Mi obligación consistía en mantener en el rostro la imbécil expresión de genio y acabando insuperablemente exhausta. En algún instante límite, siempre surgía Verónica, como un salvavidas y me llevaba a la cama explicándoles a las visitas que debo cumplir un horario y un régimen de vida estricto. Me acostaba, me daba un tibio abrazo, me susurraba cosas dulces en el oído y yo sentía relajarse cada uno de mis músculos y nervios.

Siempre adoré ese instante. El olor de su piel, blando y firme a la vez (ese olor que años después descubrí en un vino italiano de uvas), el cosquilleo de su pelo cobrizo (como el de mi padre) y largo (como el de mi madre), su tersa piel cercana a la mía en aquel abrazo reconfortador, hacía que me durmiese antes de que ella saliera de mi cuarto a su mundo de mujer adulta, secreto y sublime para mí.

Por el contrario, cuando era mi madre la que decidía darme las buenas noches en un imprevisible capricho, yo sentía gran exaltación de todos los sentidos. Se acostaba a mi lado con su cuerpo de adolescente (ya a mis once años teníamos casi la misma estatura y complexión) para cantarme a media voz arias y pasajes de ópera. Recorría con sus finísimos dedos mis hombros, mi cuello, mis mejillas, me daba besitos rápidos y me llamaba "Apolinaria de mi amor". Yo fingía dormirme para acabar lo más rápido posible esas torturas, pero ella demoraba acariciándome y cantando interminablemente.

Mi padre no entraba a mi cuarto ni de día ni de noche. Yo lo despedía habitualmente con un beso insulso que él recibía turbado, como siempre en mi presencia.

Una sola vez hizo un intento de acercamiento, torpe y, por supuesto, frustrado. Fue cuando yo ya había perdido el don de la palabra. Estábamos solos en casa, mi madre andaba en una gira por América del Sur y Verónica había salido. Él se encontraba en el sofá, en una posición bastante incómoda, con la cara hundida en el respaldar, cuando me acerqué para darle su beso de buenas noches. Me miró de manera extraña, pensé que estaba bebido.

—Ven acá, Poni –era la primera vez que se dirigía a mí de esa forma –siéntate a mi lado.

Le obedecí.

—Tú eres mi hija –me miró a los ojos, como si esperara alguna objeción de mi parte– tú eres mi hija –repitió– y quiero que sepas que te amo. Me hubiera gustado conocerte mejor y que me conozcas... ¿Eh? –volvió a mirarme con dudas. –Podríamos salir juntos a algún lugar... Al parque... –el pobre, ignoraba que yo había superado la edad de frecuentar parques– Sí. Mañana iremos al parque y nos divertiremos de lo lindo. Podrás montar los aparatos las veces que quieras. Y te compraré algodón de azúcar. Mi padre me compraba algodón de azúcar... ¡Mi padre, sí! –afirmó como si yo no creyera que su padre hubiera sido capaz de esas cosas.

Se quedó algunos instantes ensimismado, amasando mi mano entre sus dedos largos y nudosos, amasándola, amasándola...

—¿No te gustaría irte de aquí –preguntó de pronto– Podríamos irnos a vivir solos, tú y yo... Yo sabría cuidarte. Irnos lejos, lejos y comenzar una vida tranquila. ¿Qué te parece?

Hablaba bajo, respirando mucho y amasando mi mano acalambrada que yo no me atrevía a quitarle.

—Yo tengo amigos que me ayudarían a levantar cabeza... Todavía soy joven... Todavía puedo tener mi oportunidad... ¿Eh?

Volvió a mirarme y sentí sus ojos huecos. No le tuve lástima, más bien miedo. Tal vez él notó algo en mi rostro y liberó por fin mi mano que parecía estar llena de pequeños erizos.

—Ve, acuéstate... No me hagas caso. Toma... –sacó de los bolsillos algunos billetes arrugados y me los tendió– cómprate algo mañana, ve, ve...

Agarré el dinero y subí sin volverme

No lo volví a ver, no supe más de él, nadie en casa lo mencionó jamás, como si nunca hubiera existido.

[33]

[34]   A causa de mi mudez repentina perdí ese año el curso de estudios y al siguiente fui ingresada en una escuela especial.

Hasta ese momento yo había sido la envidia de muchos compañeros y, sobre todo, compañeras. Ninguno de ellos tenía padres que viajaban por todos los rincones del mundo, que salían de vez en vez por la televisión y que se movían en el círculo de la más selecta élite. A pesar de no ser una niña demasiado presumida, yo estaba acostumbrada al hálito de "elegida" con que me rodeaban, a ser admirada y encontrarme entre las más codiciadas amistades. Sin embargo, nunca tuve una amiga ni un amigo real. Me sentía totalmente incapaz de ponerme a su altura, como si tuviese atrofiada desde el nacimiento la facultad de la comunicación.

En la nueva escuela fue mil veces peor. Se trataba de una institución para sordomudos, pero como yo no lo era, me costó tiempo y esfuerzo aprender el lenguaje de señas y, mientras, fui rechazada como tarada.

Cada vez me aislaba más en mí misma, me hundía más en un caleidoscopio de figuras abstractas y símbolos propios.

Verónica sufría mi angustia profundamente, pero desde aquella memorable noche cuando fui testigo casual de su relación con mi madre (a pesar de que nunca nadie se enteró de mi descubrimiento) se había roto nuestro tierno vínculo, cesaron los juegos en su cuartico, los cuentos y abrazos antes de dormir.

La veía desconcertada y dolida, pero creí sentir repugnancia hacia ella, odio, aversión, que ahora comprendo, no eran más que celos, celos de mi madre y celos de ella misma.

Mi madre se aburrió muy rápido de tratar con una chiquilla hermética, como si además de enmudecer, yo hubiera ensordecido, entontecido y muerto. En sus escasas estancias en casa, Verónica le hablaba de mi "problema", incitándole a tratarme con especialistas, médicos, exorcistas, pero mi madre evadía el tema como se evade una mosca impertinente.

—Ella nunca fue demasiado normal –sentenció un día sin importarle mi presencia– el error fue tenerla...

Verónica corrió detrás de mí, pero le cerré la puerta en las narices.

Tenía trece años, ninguna comunicación con el mundo exterior, ni el menor sentimiento positivo hacia la raza humana y, menos aún, hacia mí misma.

Sabía poco sobre el suicidio. Intenté imitar al protagonista de una película que lo había hecho del modo más convencional: colgándose con su propia corbata. Me caí, me rompí la cabeza, me desmayé y sólo unas horas más tarde Verónica, al forzar la puerta, me encontró en un charco de sangre.

Cuando volví en mí, sentí primero su olor y luego vi su cara. Lloré sin contenerme, dejando que me abrazara, me murmurara palabras húmedas en el oído.

—Poni, querida, prométeme no volver a hacerlo, no lo soportaría, mi niña, te quiero tanto, tanto...

Cerré los ojos para hundirme en el caleidoscopio loco de figuras abstractas.

Mi madre se había marchado otra vez para algún país exótico y Verónica volcó sobre mí toda la ternura que yo le había vedado. No quiero decir que la volviese a aceptar; simplemente estaba desfallecida y rebosada de angustia.

Fueron días calmos. Pasaba horas en el cuarto de Verónica agrupando los carretes de hilo por colores, mientras ella –llevada por una descabellada ocurrencia– cosía para mí un vestido de novia, el que más me gustó de los que guardaba en la memoria del álbum.

—Haremos una fiesta de disfraces –decía bajito y la máquina zumbaba, y la aguja subía y bajaba, subía y [35] bajaba, y sus pies ondulaban sobre el pedal–. Estarás bellísima. Saldrás y todos dirán: ¿quién es esa bella dama? Y les contestarás: Soy Poni. La Poni de Verónica y de mamá. Y tu madre dirá: yo no sabía que mi hija fuese tan linda. Y tú le contestarás: es que no me mirabas bien, mamá. Y entonces se darán un gran abrazo y yo lloraré diciendo: yo siempre lo supe...

Sus palabras me herían de un modo dulce y profundo. Sentía ganas de lanzarme a su cuello de repente, olerla, besar mucho sus pies que ondulaban sobre el pedal, pero me sobreponía. Tomaba la cajita de música muda y miraba a la bailarina que daba vueltas y más vueltas, creyéndome ser esa muñequita solitaria.

Verónica hacía dulces –de leche, de harina, boniatillos, flanes– y por las tardes los comíamos en la terraza (la misma donde yo las descubrí aquella noche). Ella hablaba sin parar, pero yo de algún oscuro modo, hubiera deseado que repitiera de pronto las palabrotas que le dijo en aquella ocasión a mi madre. Uno de esos días confesó:

—Tu mamá es la persona más extraordinaria que hay. Es increíble –entornó los ojos, soñadora–. Yo la quiero muchísimo... Las quiero muchísimo a las dos –rectificó apresurada–. Ella es como una niñita, tan indefensa, necesitada de comprensión y amor...

No sé qué expresión tendría yo en aquel momento, pero en mi pecho hervía un volcán.

—¿Qué te sucede? –preguntó–. ¡Por favor, no me mires así! ¿Qué te pasa? ¿Qué he dicho?

Bajé la vista e intenté dominarme. La despreciaba, pero no quería volverla a perder.

Cuando me quitaron los puntos de la cabeza, volví a las clases. Puse gran empeño en los estudios y poco a poco recuperé la confianza. Era como nadar en el fondo de un río, entre peces y plantas, totalmente sola. Puedes morir ahogado y puedes, con un poco de voluntad, llegar a la otra orilla. El lenguaje de los sordomudos es mucho más sencillo de lo que acostumbramos a pensar. Sólo hay que adentrarse en su mundo.

Nos enteramos del día en que regresaba mi madre de la China por el noticiero. Verónica tuvo la inusual ocurrencia de ir a buscarla al aeropuerto.

—¡Verás cómo se va a alegrar! –exclamó eufórica–. ¡Compraremos flores, la recibiremos como se merece!

Subí a mi cuarto. Asustada por la experiencia de mi fallido intento de suicidio, ella me siguió y descubrió que sólo me ponía el vestido de novia.

—¿Quieres ir con eso? –se asombró–. ¡Pero...! –comenzó a objetar, luego suspiró resignada–. Está bien.

Me abrazó. Aspiré su olor y de pronto, sin proponérmelo, busqué su boca con la mía. Me empujó aterrada. Luego de algunos instantes de vacilación salió sin pronunciar palabra. La seguí. Nos montamos en el carro e hicimos el trayecto en silencio. Olvidó comprar flores. Yo no se lo recordé.

Estoy segura de que la primera persona a quien vio mi madre al salir del aeropuerto, fui yo. Mi traje era lo suficientemente llamativo como para que todos se fijaran en mí. No obstante, me ignoró deliberadamente, saludando con efusividad a Verónica.

—¡Pero qué sorpresa! –chillaba–. ¿Para qué te molestaste?

En casa subimos tras ella y la vimos abrir las maletas. Le entregó a Verónica dos obsequios abominables: una cajita de música que sonaba y un juego de ropa interior negra y vulgar.

Yo estaba parada a su lado, más muda que de costumbre y me moría de las ganas de morirme. Verónica me lanzaba miradas furtivas, y enrojeciendo en el acto. Lo más adecuado hubiera sido marcharme, pero una inercia irresistible me dominaba.

—¡Ah! –se volvió hacia mí mi madre como si acabara de descubrir que existo–. Te traje esto –me extendió un pomo de champú y me dio la espalda.

Salí de su cuarto y me dirigí al baño. Ahí descubrí sobresaltada que tenía las piernas embadurnadas de sangre. Lo acepté como algo natural en mi cadena de desastres. No me lavé, me limité a limpiar la sangre con la falda del vestido que inmediatamente floreció con manchas rojas sobre el encaje.

Destapé el champú chino, pasé la vista por la hilera de pomos de champú, acondicionadores, suavizadores, jabón líquido y cremas para el cabello que desfilaban en el botiquín. Entonces volteé el frasco y observé como se deslizaba lentamente la baba verdosa por el tragante, mientras la sangre entre mis piernas seguía manando sin parar.

Cuando salí del baño comprendí que ya se habían acostado. De repente tuve la certeza de que estaban juntas en el cuarto de mi madre, acostadas juntas sobre la cama que fue de mi padre, una en brazos de la otra, diciendo palabras obscenas, haciendo cosas obscenas y me colmó una necesidad impetuosa de verlas, verlas ahí a las dos, más que eso: tocarlas, sentirlas, oírlas.

Elegí el disco que contenía la música más espantosa en mi opinión el *Requiem* de Mozart y lo puse a todo volumen. Subí corriendo, saltando los escalones para no darles tiempo a reaccionar; irrumpí en el cuarto fatigada.

Estaba vacío.

Habían elegido, evidentemente, la habitación de Verónica, el santuario de mi infancia. Al comprender eso ya no tuve fuerzas para bajar al messanine, ni deseos de verlas ahí, entre las muñecas intocables, la máquina de coser, el cofre con los hilos de colores y las demás reliquias profanadas. Caí sobre la cama de mi padre desaparecido, manchando las sábanas como había manchado mi vestido de novia solitaria, revolcándome y gritando con mi voz perdida, uniéndola al escalofriante coro del *Requiem*, protestando contra mi ostracismo tan injusto, tan absurdo, hasta perderme en el caleidoscopio del silencio.

ernesto pérez chang

Un ladrón de mangos
en el jardín de Academos

What can I hold you with?
J. L. Borges

Sí, joven, el estilo y la forma... Están ahí los límites de todo. No podrás conocer nada más allá del estilo y de la forma y, por supuesto, del amor, que poco tienen que ver los tres con la retórica y la pornografía, ingenuo idólatra de asesinos, capaz de engullir la vedegambre de la letra innoble como si fuera el vino más exquisito.

el viejo impulsaba los espejuelos para hacer evidentes los remiendos alrededor de los cristales. Después los dejaba colgar, pues los tenía atados al cuello con un cordel y gustaba de regresar los dedos a la caricia de ir y venir por los viejos lomos de Valmiki, de Pico de la Mirándola, de Abelardo, de Ronsard, de Rilke, y al llegar a Hölderlin, regresar nuevamente a Valmiki porque el balanceo del sillón no le permitía alcanzar Novalis o tantear Paracelso, en los extremos del recorrido.

Pues, muchacho, retornando a lo que por un buen tiempo ha de ser tu medicina, estamos más unidos a lo invisible que a lo visible. ¿Crees en Dios? ¿Has sentido placer? ¿Obedeces los avisos del presentir? *oh jo, oh jo*, pocos se dan a la captura de lo nebuloso, lo volátil y lo difluente, víctimas del tacto nada sutil y poco diestro. ¡Qué tarde tan bella, muchacho! Si te dijera que a veces, entre los mangos siento correr a Carlota Corday y a un hombre con turbante blanco que estoy seguro es el apuñalado Marat, lo digo porque he visto el rastro de sangre y porque el aire entre las ramas ya no hace *schh schh* sino que suena a Marsellesa... No abras tanto los ojos, te puede afectar la luz, además, me inquieta que puedas pensar que estoy loco... me parece que son los aromas y los mangos, que aquí se dan cada vez más grandes, como calabazas. Debo tener mucho cuidado al tumbarlos. A Marat le gustaba el olor a mangos en el agua del baño y mascaba ramitas y palillos que le proporcionaba su criado indio, un adorador de vacas y lector del *Kamasutra*. ¿Y Carlota? No sé, *oh jo, oh jo*, creo que a esa con manía de Átropos la he deducido por la Marsellesa, los mangos, Marat y el rastro de sangre que tanto favorece a las frutas, cada vez más rojas. Te prometo que antes de marcharte probarás uno, mi querido invitado. Pero, ¿por qué Carlota Corday? No sé, pero no es locura...¿Sabías, joven, que entre 1095 y 1270 se sucedieron ocho cruzadas contra los sarracenos? No te barrenes el cráneo tratando de encontrar lo que no hay, además, no es importante, puedes vivir sin saberlo. Debes entender eso.

a veces detenía el balanceo para ir a la ventana a vigilar los mangos porque a pesar de que la casa estaba rodeada por un muro, los niños del lugar burlaban al viejo y lograban entrar para subirse a los árboles.

No me creas egoísta, muchacho, poco me importa si vacían las matas. ¿Pero crees que puedo dejarlos entrar con tanto peligro allá afuera? No, los mangos como calabazas son lo de menos, lo peor es Carlota

[41]

[42] Corday, ¿y si resulta que me he confundido y en vez de Marat y Carlota, quien corre por entre los mangos es ¡Donatien Alphonse François, el perverso marqués de Sade!, acompañado por sus amigos de Charenton? A veces paso toda la tarde en vela, por eso vi cuando entrabas y te he salvado de un encuentro fatal... Tú dices venir por Horacio pero yo sé, picarón, que vienes por mangos... si vienen los muertos por qué no habrías de venir tú. Pero de todos modos, tu Horacio debe estar al llegar, así que lo esperas y mientras, conversamos sobre el estilo y la forma, me fascina hablar sobre el estilo y la forma y por supuesto sobre el amor que como te dije, nada tienen que ver los tres con la retórica y la pornografía... ¿Te aburro, pequeño ingenuo?

y al soltar los espejuelos extendió una mano huesuda para colocarla en mi muslo. La posó suave, pero luego apretó duro y, por vez primera, después del oh jo, oh jo, pude ver cómo arrugaba los labios y exhibía las encías en un gesto que luego entendí era la sonrisa. Por suerte retornó al balanceo, pero por desgracia continuó el soliloquio.

Carlota Corday o María de Zuzaya, la gran bruja de Logroño, que no sabía andar hacia atrás y parpadeaba de abajo hacia arriba, sólo comía moscas y mostaza, ah, y nunca dormía, ¿te gustan los encajes de Brujas? Luego te enseñaré un *guipur* de Flandes, legítimo. Notarás su antigüedad por lo amarillo, era de mi abuelo, sí, de mi abuelo, él lo usaba. Pero el estilo, muchacho, deberías leer a Quintiliano para saber sobre el estilo y una serie de monerías del lenguaje, debes aprender cómo contener la parrafada, cómo evitar la logorrea, a la vez que vences la esterilidad natural, el terror a la página en blanco, para de esa forma controlar la desesperación innata que predispone al pacto con el Diablo. El pensamiento y la escritura tienen dos velocidades diferentes. La mano es lenta...

pero otra vez posó la mano sobre mi muslo, y lo apretó... .

Pero la lentitud de la mano es beneficiosa, muchacho. La escritura debe mantenerse ligada no a la voz, sino a la mano, al músculo, instalarse en la lentitud de la mano. ¿Tú eres escritor, mi querido invitado? Bueno, claro que no, si apenas conoces el estilo y la forma y has declarado tu preferencia por lecturas vanas, imposibles de elevar al rango de *preformata materia*, es decir, a la condición de modelos. Creí haberte escuchado decir que lees a... *oh jo, oh jo*, prefiero no pronunciarlos... son una banda de bellacos, pero la forma... ¡Ah...!, conocí a un calabrés que pereció por no guardarla, y a un hechicero dayako de Borneo que logró tornados al invocar lluvias por no conservar la forma del conjuro. Muchacho, ya verás, ahorita aparece tu Horacio y esta conversación se torna mucho más interesante. Fíjate, estoy reservando el tema del amor –*odi et amo*– para más tarde porque quiero que coincida con Horacio y el atardecer, hora ideal –e ideal compañía– para deleitarme con tales disertaciones. ¿Conoces el rayo verde? Algunos lo han visto, muchos dicen contemplar el crepúsculo y pocos logran captar la fugacidad del rayo verde: dura apenas medio segundo y, *pluff*, quien te acompaña se convierte en tu amor para siempre: ¡Qué imaginación tan espiritual! ¿No es cierto?

otra vez la mano abandonó el paseo por el lomo de Valmiki y se apoderó de mi pierna. Me moví un poco en el asiento para ver si lograba zafarme de las garras del viejo pero, astuto, corrió el sillón y se colocó mucho más próximo.

Me gusta hablar en puridad, hacer de mi interlocutor un cómplice, que el verbo no se fatigue en el tránsito engorroso de mis labios hasta tus orejas, ¡hay tanta impureza por medio! ¿Verdad, muchacho? Mi abuelo decía que yo era capaz de ordeñar un pato, ¡viejo impertinente! ¡Mira, mira, otra vez los niños se

[43]

[44]   arriesgan! Verás que un día del demonio se tropeza-
rán con Carlota Corday y... *oh jo, oh jo*, pero creo que
así les irá mucho mejor que con el marqués de Sade...
¡Cuánta imprudencia! Pero adoro a los niños, cuando
los atrapo les hago lo mismo que he hecho contigo, los
transformo en mis invitados y les hablo sobre el estilo
y la forma y, por supuesto, sobre el amor, que es el
centro de toda pedagogía, ¿de qué otro modo incul-
carles prudencia? Después, al final, sólo al final, les
regalo mangos. Pero pocos los aceptan, no por corte-
sía o temor ni porque los prefieran robados, sino porque comprenden que el estilo, la forma y el amor son
las cosas más importantes, así como son peligrosos Sade
y la Corday, y la vivencia del rayo verde junto a otros
Horacios los hace superiores... Últimamente hasta he
pensado llamarle a todo esto (mangos y casa), Academos, ¡tiene tanto que ver con el iluminado Platón! ¿Sabías que el sabio reintrodujo el mango en Grecia, y
que el traslado de la fruta desde la India a los Balcanes
causó siete guerras en distintos lugares del Helespon-
to? ¿Y que Platón tuvo noticias de tan dulce fruta en
uno de los fragmentos apócrifos de la *Ilíada* donde se
dice que Aquiles aliviaba el dolor de las caries con cocimientos de las hojas de la planta, y que el día que le
fue nefasto el talón que tanto protegía fue por dis-
traerse lamiendo y succionando un sabroso mango
de chupeta? La historia es complicada, muchacho, y
los sucesos más trascendentes brotan de causas tan
insignificantes, ningún historiador respetable subor-
dinaría la muerte violenta de Marat a la simpleza de
un mango. Te aseguro que el perfume volvió loca a la
Corday, si no ¿por qué los tengo como inquilinos en
mi jardín? Dime, por qué.

*dijo con fuerza y me pareció ver que los ojos le daban
vueltas. Creo que intuyendo él mi terror, aflojó las manos
y las retiró no ya de los muslos, sino de mucho más arriba,*

pues con las explicaciones se había dado al ascenso simul-
táneo de la voz y de los movimientos de los dedos. Volvió
a balancearse y sonrió.

No es locura, muchacho, no es demencia. Cuando
yo era un niño mi madre me dormía en este mismo
sillón. Ella abría la ventana para que entrara el fresco
perfumado de los mangos. Todavía por aquellos tiempos no rondaban la Corday, ni Marat, ni Sade, y los
niños poco me importaba que gustaran del estilo y de
la forma. Mi madre se entretenía en cantarme nanas,
me embelesaba con nanas dulces, con nanas suaves,
aunque a veces eran algo dodecafónicas. Yo, malicioso, *oh jo, oh jo,* muchacho al fin, succionaba el pulgar
buscando que ella me lo retirara de la boca y me lo
sustituyera por un seno carnoso, tan grande como esos
mangos–calabazas que ahora se dan allá afuera. Entonces yo chupaba por chupar o porque, al parecer, el
fresco impregnado de las moléculas del mango había
penetrado las tres o cuatro gotas de líquido que apenas lograba extraer. A veces mi madre se quejaba, pero
soportaba el dolor pues ¿qué daño pueden hacer los
dientecitos de un bebé de catorce años? Es decir, yo
era un poco más niño que tú, que tendrás unos veinte.
Pues es así, mi madre me arrullaba, y yo le pedía polli-
tos y le sugería teta con el pulgar y así todas las noches mamá me complacía, siempre que no estuviera
papá. Pues él había acordado con ella en mimarme
un poco menos porque papá era un hombre con un
sentido muy natural y agudo sobre el estilo y la forma. Él fue quien sembró los mangos, pero se le daban
diminutos y ácidos, en cambio, cuando mamá comenzó a atenderlos, todo fue distinto. Mi abuela decía que
era por el carácter, que los árboles manifiestan ciertas
sensibilidades de acuerdo con la naturaleza de quien
los cuida. Tal vez que yo tenga mucho más de mamá
que de papá, sea el motivo que los hace crecer como [45]

[46] melones, pero a veces dudo, porque papá no era huraño en sus afectos, él también me arrullaba cuando mamá no podía o no estaba en casa o cuando mamá murió. Parece que le inspiré lástima y él la sustituyó con eso de las nanas, y abría las ventanas para que el fresco perfumado entrara, y hasta con el tiempo lo sentí mucho más cómodo a él que a mamá, a pesar de que iba yo para dieciocho y el sillón tuvo que ser sustituido por la cama… hasta que murió papá. ¿Te aburro? ¿Has perdido toda esperanza? Entonces, si es así, estás en el infierno, o a las puertas de él. ¡Cuídate del Báratro, mi *Poil de Carotte*! ¿Has leído a Jules Renard? Yo prefiero *El placer de romper*.

Me gustaba abrazar a papá, él era un poco menos suave al abrazarme. Estaba obsesionado con mis caderas, y con mi cuello y con mi pelo que me había prohibido cortar pues decía que cada vez más los rizos, casi bucles, le traían a la mente el rostro de mi madre. La noche en que murió, acariciaba mi cabeza y enroscaba los mechones en los dedos. No sentí cuando se fue, al despertar por la mañana ya estaba pálido y recio y un fuerte olor a mango cubría su cuerpo que a pesar de la lividez estaba mucho más hermoso, por eso me abracé a él y aunque muerto le sentí susurrar nanas, acariciar mis caderas con la brusquedad de siempre y humedad, mucha humedad, a pesar de ser el fin.

¿Te aburres, muchacho? Cuando venga tu Horacio recogeremos mangos, aunque creo que comienzas a comprender que no eran mangos tu búsqueda sino algo más profundo, menos tangible, por ejemplo, yo siempre busqué el estilo y la forma y, por supuesto, el amor que como te he dicho antes, nada tienen que ver los tres con la retórica y la pornografía. Debes conocer a Platón y a Phil Andros, pero con el tiempo deberás quedarte con el primero porque si te aferras al segundo perderás, como mi amigo el calabrés, el estilo y la forma, y lo que no es amor, querido, es pornografía. Es así de sencillo.

nuevamente colocó las manos sobre mis muslos. Los de él eran secos y los vestía con pantalones cortos para su talla y desteñidos por el uso. Me miraba a los ojos y reía, a ratos se humedecía los labios con la punta de la lengua.

Jau jau jau auu auu, puedo aullar y ladrar mucho más alto, y hacerlo tan perfecto como cualquier perro. No me creerás si te digo que a veces los vecinos se confunden y hasta las mascotas del barrio me hacen coro. ¿Te asusto? No seas bobo, lo hago para que los niños piensen que tengo guardianes, así sólo se aventuran los más intrépidos que, dicho sea de paso, son la especialidad de mi academia, aquellos que temen no me importan, esos están perdidos para siempre, quienes se creen capaces de dominar al perro, es decir, al animal, esos preferirán el estilo y la forma al mango. O ¿tú crees que el mango bien vale una mordida? ¿Sabes?, extraño mucho mis dientes, mira qué pocos me quedan...

me enseñó una boca completamente vacía.

Oh jo, oh jo, oh jo, es mi mejor chiste. Debía haberte dado risa, pero te agitas de terror en el asiento, creo que tendré que desistir de hacerte discípulo de mi Academos, creo que al final seguirás prefiriendo los mangos y al fantasma de Carlota Corday o ¿prefieres a Sade? Concuerdo contigo en que Marat era muy insípido, seco de gusto, ¡preferir la rama a la fruta! ¡Dejarse asesinar por un mango! Cuando se tienen mangos y fantasmas en los jardines no se puede descuidar la vigilancia. *Oh jo, oh jo. Jau jau jau au au.* ¿Conoces la teoría de Bernard Shaw sobre la pedagogía? Es todo lo contrario a la de Makarenko. Invita a la destrucción de todo tipo de manual, odia la profilaxis, cree en la falacia del árbol torcido y sin remedio y coloca cruces, ajos y estacas a cualquier atisbo de benéfica moralidad. Resiste la tentación de leerlo, no cometas

[47]

el pecado de seguirlo; aunque para añadir sabor a ciertos platos debemos proceder con medida, hay que velar las cantidades: excesos o carencias pueden ser fatales, *oh jo oh jo oh jo*. Eso trato de hacer contigo, muchacho: entras ladronzuelo y sales filósofo; quito de tu mano la piedra vulgar de tirarle a los mangos y la sustituyo por la sin par *lapis philosophorum*. ¿No lo crees así? Tienes buenas carnes para comprenderlo. ¿Sabes que en el *Banquete* de Platón es el discurso sobre la belleza corporal el que ilustra la teoría de las almas y este, a su vez, conduce al de la belleza trascendente, la perfecta y eterna? Si elogio tu carne es porque veo en ti una posible trascendencia, ciertas potencialidades de codearte con El Eterno, de fungir como sustituto del bello Ganimedes, de ser, quizás, ese por quien preguntan los ángeles en el Apocalipsis, ese Digno de abrir el Libro y desatar los sellos. ¿Serás tú? Pero, ¿sabes que un pequeño error de elección, una mínima fisura –por ejemplo, que te inclines por los mangos y no por Academos, es decir, lo más parecido a una molesta cicatriz–, te pueden colocar, en vez de en el Olimpo, frente a las intolerantes Parcas o, peor aún, bajo el juicio de Minos y Radaman?, ¡oh! ¿Qué dices a todo eso, muchacho?

y ascendieron sus manos hasta un poco más por debajo de mi ombligo y allí, incómodas, se aferraron. Con la pregunta había abandonado el sillón, pero no para ir hacia la ventana, sino para aproximar la cara huesuda a la mía. Sin poder aguantar más, comencé a llorar. Y creo que con esto logré una retirada.

La reflexión ha sido profunda y el llanto es una buena señal. A veces me pregunto por qué el entendimiento al ablandarse exterioriza la humedad, igual lo hacen los sentimientos, y reacciones tan parecidas provocan confusión en el pedagogo. Por eso ahora me resultas tan ambiguo. Tal vez, si repaso a Makarenko, encuentre una respuesta, pero quizás, a pesar de odiarlo, sea Shaw quien responda o, peor aún, *Les cent vingt journées de Sodome* o *La filosophie dans le boudoir*, así, muchacho, es de enrevesado nuestro mundo. Pero no pienses en demencia, *oh jo, oh jo, oh jo*, porque, de pensar así, comprobarás después que Horacio no coincide contigo. Yo sólo aspiro a poner un poco de paz entre mis hombres interiores, es sólo eso. Y comprendo que cuando intento hacerlo con... contigo, por ejemplo, oscilo entre el fracaso y el éxito. Y lo peor, olvido que todo puede ser interpretado de la manera más burda.

melancólico, quizás reblandeciendo los sentidos o el entendimiento, el pedagogo regresó a la ventana. Pronto caería la tarde, pasaría el momento del crepúsculo, del rayo verde y tal vez el Horacio se encargaría de mi rescate. Tal vez el viejo desistiría de cambiarme los mangos por estilos y formas. Tal vez decidiera trastocar discípulos con la captura de otro ladrón de mangos, sordo a los ladridos del cazador de valientes, de otro ingenuo dispuesto a trocar valentía por sorpresa conjetural, al igual que cierto doctor quien se encontró con su destino, como yo, una ruinosa tarde en que el laberinto múltiple de pasos quiso jugarme una mala pasada.

Phren, decían los griegos, ahora yo digo *espíritu* y me resulta tan vacía la palabra, a veces tan dolorosa o diluida en el verbear de las multitudes ausentes de la elección divina, martirizadas en el existir mediano. De *phren* derivan *frenopatía*, que es el fastidioso estudio de las enfermedades mentales; y *frenología*, que es el vicio de andar por el mundo midiendo cráneos para determinar grado más o grado menos de inteligencia en infelices sin mayor importancia. La decepción viene cuando se descubre que el inventor del método ostentaba una chola fatal, con las mismas dimensiones y formas que las de un estúpido *tipo*. Pero me gusta la palabra *phren*, tanto como me gusta balancearme más que el estar aquí en la ventana. Entonces, muchacho, regresemos a esa conversación

[49]

tan interesante sobre el estilo y la forma. ¿Me dejas sentar frente a ti? ¿Me dejas que te hable como a un hijo? ¿Me dejas acariciarte como me hacía papá? Aún me acuerdo de algunas nanas, a veces amanezco tarareando algunos trozos, me sucede los días en que sueño con mamá y la broma del pulgar, que en latín se llama *pollex* y está en el ótro extremo del *auricularis*, al que hoy llamamos meñique. Aunque no llegue tu Horacio te enseñaré el rayo verde, estarás atento al instante en que el disco solar desaparece bajo el horizonte, si el cielo es límpido y el sol se ha enrojecido al ocultarse podrás verlo, si no, tendrás que insistir todas las tardes, son muy pocos los afortunados y la vida es breve. ¡Oh!, ¿por qué no será inmortal el hombre? ¡La transformación de la materia! ¡Qué cobardía consolarse con este sucedáneo de la inmortalidad! Sólo un pusilánime, con más miedo a la muerte que dignidad humana, puede consolarse pensando que su cuerpo vivirá algún día en una hierba, en una piedra o en un sapo... ¡Qué divino Andrei Efimich! Verás que después del rayo verde sentirás correr por entre los mangos a Carlota Corday –o a Sade–, sus brazos son tan blandos como si fuesen de *soufflé*, en la mano lleva un puñal y luego creo que pasa Marat o no sé si primero es el rastro de sangre... no sé. Un fantasma es algo peor que un asesino, creo que alguien dijo eso –hay algo en la frase, *ufff*, que me hiela–, y también que idolatraba monstruos, engendros de Sycorax. Yo dormía. Hay despertares muy famosos, muchacho, primero está Blancanieves, después La Bella Durmiente, después Alicia, después Rip Van Winkle, después Gregorio Samsa –sin contar al divino Calderón o al veraniego Shakespeare o a Quevedo–, después estoy yo y el cadáver hermoso que se entretuvo toda la noche en forrar sus dedos con mis rizos, el cadáver hermoso que a veces corre junto a

Carlota Corday y se prende a sus caderas como a las mías, muchacho, *oh jo oh jo*.

Pero no voy a cantarte nanas, veo que cuando toco tus muslos lloras como si fuera yo el ermitaño Minski, al cual Sade quiso alimentar con carne humana. Yo pensé que eras un valiente. Dramatizabas, fingías. Cuando papá me acariciaba yo lo engañaba con el mismo truco que a mamá, y no era el cuerpo sino el perfume de los mangos, y el rayo verde: cuando lo ves amas para siempre a quien tienes a tu lado, al mío siempre tuve a mamá y después a papá, y ahora quería tenerte a ti pero estas nubes al final de la tarde y tú, poco valiente, con ese llanto... mira, voy a dejar de tocarte, enseguida te desato y te regalo un mango... Recuerda, tal vez sea esta la mejor lección de hoy, la bondad y la maldad son inútiles porque no son eficaces. No soy un monstruo, muchacho, *oh jo, oh jo*, yo también fui pensado por Dios, como también lo fueron Catalina de Medici, Lucrecia Borgia, Sade, Eugenio de Saboya, Ghandi, la Madre Teresa, tú... creo que al próximo no le tocaré los muslos ni le hablaré de estilos y formas, tampoco le revelaré el secreto sobre el rayo verde. Le hablaré del *calembour*, ¡qué maravilla!, Apollinaire, de Leopold von Sacher–Masoch, o de cualquier otro comemierda feroz. Todo por que no llore. Muchacho, no llores, puedes irte, entiende, las palabras no son las cosas. Dice un viejo amigo mío, portugués, que el hombre habla como el río corre o la lluvia cae. Entonces, si es así, mira tú qué ironía, Academos no existirá nunca y todo es difuso. Yo te desato, levántate y anda, muchacho, pero antes dime, para que imites a Edipo frente a la Esfinge tebana: ¿A qué hora del día comienza la noche?

le dije que no sabía. Él no entendió. Al decirme ¡Vete!, eché a correr.

marcial
gala

La violencia
de las horas

O quam te memorem virgo...
A Tania.

Clementine es una santa y aunque ahora te parezca muy triste ser hijo de alguien tan principal, Deus faxit, un día será canonizada y entonces contrataré al Tintoreto o a algún otro maestro venido de Venecia y lo veremos tú y yo decorar el altar de nuestra capilla... Imagínate a Clementine con tantos dorados y azules... En cuanto a ti, il mío caro Luduvico, yo te prometo, si te comes todo sin dejar la más mínima trucha irnos a Roma, a besarle los pies a su Santidad y a ver los portentos pintados por el Divino para el Papa Julio en la Sixtina, eso, si te lo comes todo, además si a partir de hoy obedeces a Messer Antonio, entonces le rogaré a su Santidad que al arribo de tus catorce años te otorgue el capelo rojo y... para cuando seas capaz de traducir a Horacio escogeré para ti un palafrén y te permitiré lucirlo en la comarca. Yo oía a mi padre sin oírle, miraba su mostacho de condotiero, su tabardo de terciopelo azul recamado en oro al estilo veneciano, esperaba una pausa en el soliloquio, tomaba en la diestra un muslo de faisán y antes de llevármelo a la boca, perdíame en delirantes pensamientos en torno a una ciudad, Roma, que yo imaginaba hecha de cornisas de oro y techos de diamante, ciudad repleta de cavalieris artistas, pulsadores de laúd y amantes de esbeltas donnas. Sólo un hombre triste en toda la Roma de mis ensueños, el Papa, padeciendo de gota y con la tiara en la testa, esperando ansioso a que mi padre y yo fuésemos a besarle los pies. Tanto pensaba yo en eso, que al morder el faisán, este sabía y olía a pie de viejo. Luego el padre Hipólito sentado junto a mi progenitor, sonreía con mansedumbre que no dudo en llamar interminable, se sobaba una de aquellas mejillas gruesas como nalgas de nodrizas y peroraba con voz de bajo: Antenoche la volvieron a ver, vestida con un corpiño de seda, parada en lo más alto del campanario de Santa María. La duquesa Clementine sostenía un animado coloquio con cierto níveo palomo y alrededor de los cabellos de su signora madre, principino Ludovico, flotaba una aureola como de tres codos de envergadura y en la plaza quaecumque creata sunt Dei potemtiam pracdicant enarrant. *Papá estaba para Angola y mamá aprovechó para conocer a la señorita Judith Camejo. Fue en la parada de la sesenta y cuatro. Mamá tenía treinta y cinco años y la señorita Judith Camejo era delgada hasta lo increíble, tenía amplias ojeras y aguantaba con ambas manos un gran ramo de lilas.* Al callar el clérigo, mis primos Ghiovaneto y Donato asintieron, moviendo las hirsutas testas, pero de los labios de mi padre nació un levísimo e incrédulo suspiro. Cumplía yo doce años ese otoño, y recuerdo que por ser tan alto y cetrino, mi padre me decía Ludovico el moro y yo le rogaba que me hablase de ese príncipe, de Beatrice y de Leonardo. Lionardo,

[54] declamaba el Duque en su dulce toscano y yo pala-
deaba ese nombre y deseos no me faltaban de abandonar el Palazzo e irme a Florencia o a la Serenísima,
en busca de un destino de artista. Recuerdo los paseos
por nuestros jardines, recuerdo a mi afeminado primo Donatello o Boca de Culo como lo apodábamos
por sus continuos improperios y blasfemias, fingiendo ser Alejandro Magno o Escipión, y a mí mismo me
recuerdo, esbelto y tímido, parado tras un álamo, sin-
tiéndome el Da Vinci y viendo a mis primos correr,
chillar, agarrarse y a veces rodar por el suelo, mientras messer Antonio incómodo en su tabardo de am-
plísimas mangas, los reprendía en un latín tan pulido
como el de Virgilio. *Cuando se acercó a nosotros, mamá*
apretó mi brazo hasta el dolor. La señorita Judith también
tenía buenos dientes; bello niño, mintió y mamá le aceptó la
mentira, pero Judith sintió la necesidad de justificarse. El he-
cho de que sea enano no le resta un ápice a su belleza, dijo.
Mamá sonríe y me mira con esa cara de desear que yo me
muera. Mamá es bella, pero cuando me mira así la odio. Nadie piensa en mí, nadie me busca hasta finalizar las
clases. Entonces las atipladas voces de mis primos se
hacen oír. ¡Ludovico! yo me oculto y cuando se acercan, huyo entre los árboles, entre las estatuas, las fuen-
tes y los setos de rosas. Oigo mi nombre y huyo hasta
sentir cómo la intensidad de las voces disminuye; finalmente no las oigo. Sólo tú me encuentras porque
me he ocultado para ser encontrado por ti, Fátima.
Envuelta en su amplia túnica, descalza y·frágil llega y
se inclina al lado del arbusto, detrás del que me es-
condo. Yo finjo no saber que es ella, abrazo mis piernas y me creo pequeñito. Deseo ser como uno de esos
príncipes dibujados en los códices de mi padre, entonces quizás Fátima me lleve hasta su cuarto y jue-
gue conmigo como jugábamos Luigi y yo con las
marfileñas piezas de ajedrez, pero sigo grande y ella

me acaricia la cabeza y susurra, si el principino no se dirige ahora mismo a las clases de esgrima, Satanás no le contará más acerca del elefante, del niño del ánfora y las alfombras mágicas. Fátima muerde las palabras al hablar como las venecianas, pero si a las madonnas del Urbino les fuese otorgado el verbo, sus voces tendrían esa misma transparencia. *¿Quién eres mamá? Papá decía, cuando papá era papá, que en caso de que viniera la Tercera Guerra Mundial y quedase una sola mujer en el mundo, si esa mujer fuera mamá, no se casaría con ella; mamá respondía que ella tampoco, y decía que se iba para La Habana con su familia, pero no se iba, y ahora papá está muerto.* ¡¡Satanás!! Así la increpan los frailes de mi madre al encontrarla en las galerías o en las salas de Palazzo y yo iré al infierno, si no rezo diez Padre Nuestros, si no rezo diez Ave María, si no me flagelo diez veces, si no porto un cilicio hasta Santiago de Compostela, si cuando sea Papa no organizo una Cruzada para redimir al Santo Sepulcro, si no dejo de creerme amigo de una esclava sarracena y de su tonto hermano. Entonces no tendré tiempo de ser Leonardo, me digo yo y le ordeno a Luiggi que sea Leonardo por mí. Luiggi es el hermano gemelo de Fátima, tiene quince años y su piel es del color del bronce de las estatuas de Donatello. *Nosotros aún no lo sabemos, tendremos que llegar a casa de abuela para que un señor con una medalla en las manos, nos diga, Rigoberto López murió en combate, y ese Rigoberto López sea papá. Entonces vendrá el llanto de mamá y mi risa.* Recuerdo que estábamos en Venecia, era la víspera de los esponsales del Dogo con el mar y éramos huéspedes de la familia Fascari. Recuerdo las talladas cornisas, los arabescos del techo, los tapices de brocado de oro y carmesí con nuestro anagrama cubriendo las paredes y recuerdo los tres enérgicos aldabonazos en la decorada puerta del palazzo de Fascari. Azul era el turbante del mercader de esclavos que trajo a Luiggi y que te trajo a ti, Fátima. *Yo me río pero no sé por qué y ahora estamos conociendo a Judith Camejo, la señorita española que le dice a mamá con un desparpajo que nos deslumbra, mientras le tiende una flor: Usted es lo más bello que he visto. ¿No será un payaso disfrazado de gente?, pienso yo, mientras mamá toma la flor.* Tenían ojos amarillos de gato y mi padre los vistió con túnicas de color bermejo y los cabellos de ambos eran iguales de largos y caían libres sobre los hombros, por lo que en los primeros tiempos se nos hacía difícil saber quién era Luiggi y quién eras tú, Fátima, pero meses después, Rodomante, el corcel de batalla de mi padre, escapose de las manos de uno de los palafreneros y arrolló a Luiggi, dejándolo baldado y relegado para siempre en un sombrío aposento de Palazzo. Cuando ocurrió ese accidente mi madre recibía ya esas extrañas visitas, destinadas a hacerla tan famosa como Santa Catalina de Siena. Mi madre vestida a la española, escuchaba al padre Hipólito y pensaba en el espectro de Constantino, que con su toga púrpura de emperador, segundos antes había abandonado la alcoba por la abierta ventana. Después la visitaron el doctor Tomás Aquino, Hermes Trimegisto y el propio apóstol Pedro, y para cuando mi padre, luego de derrotar a ciertas bandas de piratas berberiscos, partió a los estados pontificios, ella se hizo traer de Florencia un negro ataúd de roble y yaciendo en él, escoltada por cuatro ardientes cirios, resolvía los asuntos del Ducado. Al mes, hicieron su aparición los cuatro hermanos dominicos, llamados a desplazar en el favor de Clementine al Padre Hipólito, su confesor hasta entonces, y cuando regresó mi padre, ella ya no era la más bella princesa de Italia, ahora era para siempre Santa Clementine. *La señorita nos invita a ponerle flores al Quijote, pero para mamá no es usual ponerle flores al Quijote y estamos muy lejos de la Plaza de la Revolución, por lo que Judith Camejo bota las lilas y vuelve a acariciarme la cabeza. Bello niño, repite.* Mi padre regresó con su séquito pródigo en artistas, filósofos, pícaros y doctores versados en las doctrinas de Vitruvio, Platón, Séneca, Averroes y Pitágoras. Muchos de ellos alardeaban de despreciar toda autoridad eclesiástica y de considerar a la Biblia como un mero conjunto de frustraciones judías, y si concurrían a nuestra capilla era para admirar los mosaicos venecianos y los frescos bizantinos del altar y las paredes. Clementine trató de expulsarlos de Palazzo, pero mi padre se opuso y cierta tarde ocurriósele a tres de esos cortesanos curiosear en los, para ellos, misteriosos aposentos de mi madre. Llegaron ante la puerta y luego de inclinarse en una amplia reverencia le imploraron la venia a la signora. Clementine en su ataúd no se dignó a contestar. Los frailes avanzaron hacia el umbral, los humanistas remedaron con poses y gestos la solemnidad de los clérigos y uno de ellos, mozalbete vivaz y rubio, emitió un retumbante pedo. ¡¡Vade retro Satanás!!, gruñeron los hermanos dominicos y el imberbe volvió a premiarlos con los gases de su vientre, mientras los otros dos cortesanos prorrumpían en insanas risas. Jolgorio que hizo concluir el más corpulento de aquellos frailes alzando un decorado crucifijo de roble y rompiéndoselo en la cabeza al de los pedos que de inmediato fue al piso, soltando sangre por nariz y boca. ¡¡Han matado a Ghiordanetto!!, gritaron los otros y corrieron hasta la sala principal de Palazzo. *Su mano huele a mamá. Yo amo a mamá. He visto sus senos cuando el agua cae sobre su cuerpo, entonces entreabro la puerta del baño y pregunto si mis chancletas están ahí, pero antes de preguntar miro.* Mi padre fue a los aposentos de Clementine. Ella se negó a abrir. ¡¡Vade retro Satanás!!, gritaron los frailes y mi padre volvió montado en Rodomante. [57]

[58] Los mercenarios suizos rompieron la puerta, él penetró en la alcoba y a golpes de hacha destruyó el féretro; también pretendió destrozar los cráneos de los clérigos. ¡¡No!!, aulló Clementine cuando ya el arma se alzaba sobre una tonsurada testa y mi padre cayó derribado del corcel por un milagroso e insoportable dolor de muelas. Recuerdo que seis años después, en las frías tardes de enero, esa muela seguía martirizando a mi padre con una persistencia que no era de este mundo. Clementine se compró otro ataúd y nunca más le dirigió la palabra al Duque. Él hizo remodelar según los arcanos clásicos el ala izquierda del Palazzo y allí se instaló con cortesanos y fámulos. Luego fue a ver a su hermano el cardenal Pedro Alejandro y lo convenció de exponer el caso ante su Santidad y rogarle la emisión de una bula ordenándole a Clementine que abandonara el féretro y volviera a sus deberes de esposa, so pena de excomunión. Su Ilustrísima, el Cardenal, estuvo de acuerdo pero antes quiso hablar con la Donna. Dos horas duró el coloquio y el prelado vio en Clementine muestras de beatitud suficientes para decirle al Duque que consideraba una insensatez desaprovechar la ocasión de tener una santa en la familia. *El cuerpo de mamá es motivo de mis dibujos. En la escuela quise explicarlo, pero la conversación se perdió en el enredo de otras palabras. Palabras, palabras, palabras. No me gusta mi escuela y no es tal escuela.*

Está poseída, decíale papá a sus humanistas y ellos le ponían de ejemplo a Séneca, Sócrates y a otras autoridades de la mustia virtud de aguantar los avatares de la fortuna. *Mi escuela es un hospital, la gente viste de blanco y nos trata como a bobos, pero en realidad yo no soy bobo, y la prueba es que estoy escribiendo esto que mal que bien son las memorias de Judith, de mamá, de mí y de la muerte de papá, pero ahora la señorita Camejo toma de la mano a mamá y le dice que tiene una habitación en el Hotel*

Capri y que si desea ir a comer algo no hay inconveniente, mamá responde que ella ni siquiera es de aquí, que es de Cienfuegos y que a su marido se lo llevaron para Angola y que su hijo está loco y que ella no sabe qué hacer. Al cabo, ese asunto de la santidad empezó a reportarnos beneficios políticos pues nuestros levantiscos súbditos consideraban ahora una impiedad amotinarse contra la beatísima Duquesa y durante años, ni la más mínima revuelta turbó la paz de la heredad. Gracias a esa paz, papá acabó sintiéndose si no feliz, al menos recompensado. Fue entonces cuando ocurriósele la idea de contratar a algún maestro de mucha virtud y decorar nuestra capilla con la imagen de Clementine yaciendo en el féretro. Y al tornarse mayor la importancia que los grandes de este mundo concedían a la Duquesa, que ahora sostenía relaciones epistolares con el Papa, con el cristianísimo Rey y con el Emperador, tornóse también mayor el plan de decorar y ya no era sólo pintar la capilla, sino todo el palacio, las iglesias y hasta algunas casas de la ciudad. El Duque nos paseaba a mis primos y a mí y nos señalaba dónde irían los óleos y dónde los frescos y los tapices. Terminaba quejándose del Hado pues lo había hecho nacer en época tan tardía y ya no se abundaban los Miguel Ángel, ni los Rafael Sanzio. Y si tu madre demora en ser canonizada acabarán muriéndose también los restantes maestros y entonces quién nos decorará la capilla, suspiraba. *EL LOCO SOY YO. Mamá parece una puta con ese pullover largo que sólo ellas se ponen y la señorita Judith es una puta. De las peores, piensa la gente.* Luego de las clases de esgrima fui a ver a Luiggi. Ya estaba sentado frente a la mesa del ajedrez, esperándome. Me pregunta cuándo nos iremos a Venecia. Yo contemplo sus endebles piernas y callo. Él lleva mi mano derecha hasta sus labios y la besa. Afuera ha empezado a llover y las piezas de ajedrez parecen otros tantos Luiggi y Ludovico frente a frente. Su Alteza es cruel, dice él de pronto y la expresión de su rostro se torna tensa. Juguemos, digo yo, pero antes de que podamos mover alguna pieza, se oyen tres suaves golpes en la puerta. Misser Antonio. Clementine deseaba verme, y acompañé al Humanista hasta el ala diestra del palacio. Aún recuerdo el olor a ungüentos y a sudor que emanaba de su toga, la barba entrecana y los ojos lagrimosos y alertas. Valor, Alteza, murmuró cuando ya estábamos frente a los aposentos de mi madre. Abrí la puerta. Los inevitables clérigos rodeaban el ataúd. Uno de ellos se inclinó levemente y sin apoyar la mano en la madera susurró algo. Acércate, dijo mi madre y la voz era macilenta y hermosa. Sí, signora, articulé y caminé dos pasos. Ha mucho ya, los frailes habían clausurado la única ventana, por lo cual a esa hora cercana al mediodía, el calor era intolerable. Olía a flores mustias, a incienso, a espliego y a animal podrido. Clementine, con la cabeza apoyada en un almohadón de seda, me observaba desde el féretro y la piel de su cara era palidísima y frágil, en sus ojos azules no había luz y los cabellos poseían vida independiente gracias al millón de piojos que pululaba en los mechones y caían sobre el almohadón. Sonrió y los dientes seguían siendo diminutos y amarillos. Luego me permitió besarle el rubí que adornaba su mano derecha. ¿Cómo estás, carísimo Ludovico? susurró y durante un instante la mano del anillo descansó en mi cabeza. No esperó la respuesta para continuar. Hoy, Dios mediante, hablaré con un ángel de dos mil alas doradas sobre el tamaño de tu esperanza, pero te ruego que no vuelvas a tocar el laúd, recuerda el carácter erróneo y nefasto de toda fábrica humana. Yo asentía a cada una de sus palabras. Si me hubiese sugerido, rebánate las narices, Ludovico, caro mío, también hubiera asentido. Los frailes me miraban sin pestañear y la luz de los cirios se reflejaba en la pulida madera del ataúd. Vete, dijo finalmente mi madre. *Ahora se acercará un policía a preguntarnos si traficamos con dólares, pero mamá no llora más. Ella está conmigo, dice la señorita Judith y el policía retrocede sin esperar el carné que ya mamá desenfunda.* Estoy soñando. En lo más alto del campanario de Santa María de Fiore, Clementine oficia una misa para palomas, gorriones y entorninos. Sin el ataúd y con las delgadas piernas temblequeantes, alza su voz de toscana y los pájaros baten las alas. Después su rostro adquiere una expresión pudorosa y una dorada cascada emerge de su vulva y cae sobre las cabezas de los ciudadanos. Ellos beben y piden más. *Vamos al hotel, dice mamá.* Ahora estoy sentado en el piso de la sala preferida de mi finado abuelo. Leo a Petrarca. Oigo las voces de mis primos. ¡¡Ludovico!! Pongo el libro en el suelo y corro por la galería de columnas talladas en pietra serenna. Paso sin detenerme por salones, antesalas, vestíbulos. Voy descalzo y la capa de mi tatarabuelo, el gonfaloniero, ondea atada a mis hombros. Al final de uno de los pasillos diviso una puerta gris. Ahora las voces son un susurro, Ludovico. En puntillas y muy despacio voy acercándome a la semiabierta puerta. ¿Qué secretísimo arcano esperaba yo encontrar? Las paredes del techo hasta el suelo se prodigaban en raso amarillo y azul, bordado de tulipanes. El lecho era de plata y roble y estaba cubierto por un baldaquino de seda, las sábanas, de brocado de oro y carmesí y, acostado, estaba mi padre y estabas tú, Fátima. Desnudos. Recuerdo que la expresión del rostro del Duque era muy triste y que había un laúd descansando cerca de tus pies, igual que en este retrato, pero tus cabellos no eran rojos, sino negros como nuestra esperanza. Acababa de cumplir doce años y olvidé a Leonardo, olvidé el capelo cardenalicio. *No nos dejaron pasar a la habitación de Judith y* [61] *más tarde cuando ya estemos a punto de tropezarnos con el hombre de las medallas, mamá besará a la señorita en la boca y mañana regresaremos a Cienfuegos, pero antes mamá me pedirá que llore y yo trataré de llorar para que nos resuelvan un pasaje de vuelta, mientras ella habla con todo el mundo y nadie le hace caso y tendremos que irnos por la lista de espera. Extraña terminal adonde no llegan noticias de Angola.* Soñé que mataba a mi padre, desperté y el sudor cubría mi rostro. Fui a buscarte, Fátima, pero tu hermano era quien estaba en el lecho. No necesité despertarlo. Yo portaba una daga en la diestra. Su Alteza, exclamó él. Estoy enamorado de tu hermana y voy a matar a mi padre, le dije, y me iré muy lejos, a Palestina, a saldar mis culpas, tú no puedes comprenderlo Luiggi, porque no eres caballero ni cristiano. Él asintió moviendo de arriba abajo su testa de estatua y me prometió acompañarme doquier fuese yo y sus ojos estaban húmedos, y como la sábana cubría su cuerpo hasta más arriba del pecho, no supe de pronto si él era él o eras tú, Fátima. Yo le permití besar mi rostro, dejé a su boca buscar mi boca, pero entonces en algún rincón de los jardines de palacio, cantó un gallo. Algo se quebró dentro de mí y la daga atravesó la garganta de tu hermano. *Mañana mamá me volverá a la escuela y desde la cerca, Delfín, Manolo y los demás, me verán llegando de la mano de ella, mientras gritan: ¡¡Ahí viene el enano que nos hace cuentos!! Yo soy el enano que les hago cuentos, es verdad. Yo veo a las enfermeras cuando se bañan y después se lo cuento a mis amigos.* Me sueño entrando en los aposentos de mi madre y junto al negro ataúd veo otro, cerrado. Abro la tapa y Luiggi sonríe. Yo soy otro santo, responde él y yo decido cerrarle los ojos para que no me vea besar a mi madre. Acerco la diestra a su cara y los dientes atenazan mi carne, entonces lo abofeteo, pero sólo logro que su sonrisa se torne más amplia. ¿Se encuentra bien el principino?, susurra Luiggi y entonces mi madre se va volando. Veo cómo su cuerpo, cómo sus ropas van separándose poco a poco del ataúd. Veo sus cabellos desplegándose hasta llegar a ocupar toda la alcoba y al fin mi madre está tan alta, tan donde nunca podré alcanzarla. *Mis amigos son retrasados mentales. Yo no lo soy pero es cómodo ser un retrasado mental. Yo amo a mis amigos, pero a veces los mato. Yo soy el que les pone agujas en los asientos para que se pinchen cuando se sienten. Pero ahora, después de darle veinte dólares al portero y veinte más a un tipo de guayabera que no sé quién es, la señorita Camejo nos introducirá en el hotel. Pero a la habitación no, dice el hombre de la guayabera y a donde más podemos ir es al restaurant. Pidan lo que deseen, dice Judith Camejo y mamá me mira a mí y yo miro a mamá. ¡¡Bistec!!, decimos a dúo y Judith se ríe y le acaricia el rostro a mamá y le toca los dientes. Mamá se deja. Quisiera tocarla yo también, pero estoy seguro de que a ella no le gustaría. Hoy le toca llorar, papá ha muerto aunque nosotros aún no lo sabemos. Pudiéramos ir a la iglesia a rezar por él, pero no está bien, papá es del Partido y no está bien ir a la iglesia.* En primavera el Duque acompañado de mis primos partió de campaña. Me recuerdo tendiéndole las bridas para ayudarlo a montar en el corcel de batalla. Durante un instante sus ojos se detuvieron en mí. Luego susurró: Dios te bendiga, carísimo Ludovico, y emprendió la marcha seguido por su tropa de lansquenetes y milicianos de la tierra. ¿Adónde cabalga mi pobre Duque, ahora, cuando su carísimo Ludovico es un viejo? No lo sé y dudo que él lo sepa. En la noche de esa misma jornada, un disparo del mosquete de mi primo Donattello tumbó a mi padre sobre la verde pradera lombarda, después, mi otro primo, saltó presto del caballo y de un golpe de espada degolló a su tío. Yo tenía dieciséis años y en ese instante cargaba a la desnuda Fátima sobre mis rodillas y la oía [63] tocar el laúd. Entonces un golpe de viento apagó los cirios de mi habitación y un grito de mi madre desgarró las tinieblas del palacio. ¡¡Ludovico!! Corrí a su alcoba y me contó que estaba soñándose en Venecia, en el palacio de nuestros parientes y que cumplía trece años y era la primera noche del carnaval y mi padre vistiendo un traje con capa corta de seda blanca y roja, y bordada banda de tulipanes, la mitad frescos y la otra mitad marchitos, rodeando su lema *Le temps revients*, recamado de perlas, y con una pluma de filigrana de oro montada en diamantes y rubíes en el sombrero, surgió de la noche y una fina máscara de leopardo cubría su rostro. *Por eso rezamos tras las puertas cuando nadie nos mira. Dios es negro, del color de papá, por eso se casó con la Virgen María. ¿Qué negro no quiere una blanca? Mamá es rubia, por eso Dios fue bueno con ella, pero últimamente Dios está bravo.* Dos años después, estando yo todavía en campaña contra mis primos, el viento volvió a apagar los cirios de palacio y Clementine desde su ataúd, rodeada de las plegarias de los frailes tornó a soñarse en Venecia y volvió a ser carnaval y mi padre reapareció con la verde máscara de terciopelo y la invitó a bailar con una sonrisa. Entonces ella deseó que todos esos años pasados en ese ataúd no fueran más que la pesadilla de una noche. Lo deseó todos los días de ese fatal enero, lo gritó al viento desde el techo de palacio y al final de ese mes, la misericordia divina le permitió morirse dulcemente, como una niña que se despide. *¿Le gustó la comida?, dice Judith con alegría en los ojos. Le gustó, dice, pero no me mira a mí, sólo mira a mamá. Mamá baja la mirada. ¿Si quieren algo más?, pregunta Judith. Dulces, digo yo y mamá me toma de la mano. Niño, dice, pero Judith se ríe y ahora se acerca el camarero y nos trae el postre. Mermelada con queso igual que en mi escuela. En mi escuela tengo que estar toda la semana mientras mamá lee libros. Mamá trabaja en una fábrica de tabacos, luego, mamá* *es lectora de tabaquería. Mamá está loca por dejar de leer libros, ¿Pero qué otra cosa sabe hacer mamá? Yo acabaré por volverme bobo. El albergue está oscuro y Manolo vuelve a gritar y a temblar. ¡Oh, qué nochecita!, dice la enfermera acercándose y despertando a Manolo para que vuelva a dormirse. A mí, apenas me mira, pero dice pobrecito cuando pasa junto a mi cama. A mí se me murió papá en Angola. Allí la gente suele morirse, no porque quieren sino porque los matan. Mamá y yo lo sabemos. Me gustaría que Judith, mamá y yo fuéramos franceses y que, además, yo no fuera enano. Eso le he pedido a Dios. Le he dado hasta a escoger. Le dije: Señor, prefiero ser bobo antes que enano, sálvame del enanismo, pero Dios no contestó.* En cuanto a ti, Fátima, mientras yo vencía a mis parientes, huiste a Roma. Gasté miles de ducados buscándote. Le rogué a Dios que me permitiera olvidar tu rostro. Fui a Roma y la ciudad no era de oro y el Papa era un hombre de una alegre mediocridad, notable sólo por el tamaño de sus asentaderas. Desistí de ser Cardenal y mis torpes manos de condotieri me impidieron ser artista. Al cabo supe que habías muerto de mal francés en un lupanar de la Rua Claudia. *Dios es negro igual que papá. Ni mamá ni yo somos del color de Dios. Mamá es rubia y yo soy enano.* Me casé. Mi hijo Luiggi perdió la mano derecha luchando contra el turco. Mi otro hijo, Domenico Flavio, fue investido de Cardenal y yo sufro de gota, de piedra en los riñones y veo cada vez menos, y ya ves, Fátima, te he contado las cosas que vivimos juntos por si no las recuerdas o por si no eres tú la que estás en el retrato; si lo he contado mal, perdóname. Tu vida fue corta, la mía fue larga, tristes fueron las dos y la mía vita, !uego que te perdí, tornóse aburridísima como las traducciones de Derecho Romano a que nos obligaba messer Antonio y ya no puedo correr a esconderme en el jardín cuando gritan Ludovico. Ya

[66] nadie me promete nada, ni que voy a ser Papa, ni que tendré un corcel tan blanco. *Yo no soy nada, ni siquiera soy Marcial, soy el enano que asiste semana tras semana a la escuela de bobos mientras papá y Judith la española, se van perdiendo, alejándose. Pero hoy todavía no, Judith y mamá se besan en la boca y todo el restaurant nos está mirando. Van a botarnos del hotel y cuando lleguemos a casa de abuela y papá esté muerto volveremos a Cienfuegos.* Estoy tan solo, Fátima, y la capilla está aún por pintar pues ningún Papa, ningún concilio, ha tenido el pudor de canonizar a mi madre. Tengo noventa años, Fátima y desde las alturas, flanqueada por su séquito de níveas palomas, Clementine me exige que me reúna con ella. ¿Iré pronto? ¿En qué nuevo ajedrez nos adentraremos mañana? ¿Cuál será entonces el rey y cuál el mísero peón? En todo caso dile a Luiggi que jugaremos a ser Leonardo.

saturnino rodríguez

Manuscritos encontrados dentro de un zapato

Lecciones

Hay que leer a los clásicos: sólo a los clásicos –insistía una y otra vez mi profesor de retórica. Nunca le confié mi apreciación personal: Homero, casi el primer escritor, ¿a qué clásicos leía? Ciego también como era...

Fragmento ininterrumpido

Si hemos de ubicar en el tiempo a esta pizca de infinito, acotar cronológicamente el fragmento de eternidad, gota en el mar, grano de arena en la playa, en que nos fue otorgado vivir y padecer, habría que estamentarlo sin duda en el Séptimo Día de la creación. Digan lo que digan los esperanzados apologistas de cualquier denominación, Dios no está en condiciones de escuchar nuestras voces. Fluye lo inconmensurable y transcurrieron ya seis jornadas, dispuestas una tras otra desde el principio. Infructuoso cualquier esfuerzo por gritar, maldecir, arrepentirse; alzar la voz de nada valdría, nadie escucha. Estamos solos, habitando sin reclamos el Séptimo Día. Dios aún descansa.

[67]

El rebelde

—¿Y esto es la inmortalidad? –le preguntó a Él–. ¡Ah, no! Tengo derecho a sentirme ofendido. Devuélveme a mi condición original. Allá en mis predios haré las cosas de muy diferente manera. He sido víctima de una vulgar estafa, con Tu conocimiento.

Ni ángeles ni demonios lograron hacerlo entrar en cintura. Argüía y reargüía que había sido timado.

La patada en el trasero que le propinó el jefe lo envió directamente a casa.

—Algunos no entran en razón –dijo Aquel–. Como si en sus manos estuviera el cambiar algo. Son contestatarios porque sí. Con lo fácil que sería abandonarse, aceptar su suerte.

Elección

Colocado en el trance de elegir entre una mujer que no te quiere y otra mujer que no te quiere, escoge a la mujer que no te quiere.

Demócratas

—Yo soy el León y debes respetarme. Desde los tiempos antiguos siempre me han respetado porque soy el rey.

—Pero esto es una democracia –dijo la Zorra.

—Democracia o como la llamen, debes dirigirte a mí con respeto y humildad. Guardar las distancias, eso es.

—Esos tiempos pasaron, León. Ahora es distinto. Tú, yo, aquel, el de más allá, todos somos iguales, con los mismos derechos y deberes.

—Ah, pues entonces no quiero estar más en este cuento. Se acabó.

—No va a ser tan fácil. No soy yo quien puede sacarte de la fábula. Tendrás que hablar con el Autor.

—¿Y dónde está ese Autor? Jamás oí mencionar semejante animal dentro de la selva. Hablaré con él inmediatamente.

—Mira hacia arriba. Es él quien está escribiéndonos.

La Zorra señaló con la pata hacia el Autor y reafirmó:

—Allí está, de lo más divertido sacándole punta al lápiz para comenzar otra vez con lo mismo.

—Bueno, Autor, o como te llamen, sácame de esta fábula. A mí siempre me rindieron pleitesía todos los animales, pero he aquí que viene la Zorra y me trata con el mayor descaro. Habráse visto tal desparpajo.

—No puedo, León –dice el escritor–. Discúlpame. Yo también estoy siendo escrito. Todo el mundo exige respeto y lo tendrá, hasta yo. Lo siento mucho, este no es el cuento del León, ni siquiera el mío. Este es el cuento de la Democracia.

Frase con erratas

Amáos los unos a las otras, o si se quiere, las unas a los otros, escribió enfático y para siempre el dedo de Dios. Pero bastó un vertiginoso cambio de género en una de las copias, o el error indeleble de un hebraísta para consumar el fraude. Así quedó para siempre como escrita por el dedo de Dios: Amáos los unos a los otros. Después vendrían Sodoma y Gomorra, los travestis...

La metamorfosis

El bravucón de siempre en una taberna de Praga:

—¿Ven acá, chico, ¿tú eres hombre o cucaracha?

Y la respuesta, inusual en un tugurio como ese:

—Ambas cosas, incluso. Yo soy Gregorio Samsa.

Un poeta recalcitrante

Dejo de pensar en ti, para volver a pensar en ti. Pudiera, con excepción, pensar en mí, pero yo también estaría pensando en ti.

[69]

Futuro

Los niños son adorables de noche. De día también lo son, pero mucho menos. Están ocupados en el aprendizaje sin tregua, del tedioso oficio de ser persona.

Colores nobles

El Príncipe Azul se pone en camino, pero no le permitirán el paso libre.

Blanco sobre blanco, flecha a sus enemigos, taja y abate cualquier impedimento

Sortea con éxito los peligros y llega a la corte donde reside la Princesa Rosada.

El Rey y la Reina estallan de contentos y asienten para que se efectúe la unión.

Mucha pompa. Corre vino, cerveza. Los asados, la música. La alegría invade el reino.

Años más tarde, la corte en pleno se encuentra disgustada. El Rey y la Reina ahora desaprueban y dan el consentimiento a la disolución inmediata del matrimonio del Príncipe Azul y la Princesa Rosada. Todos los vástagos, o sea, sus propios nietos, han nacido bicolores.

Negación

Al despertar de su desmayo, al volver en sí, sencillamente no.

De Monterroso; fecundidad

Hoy me siento bien, un Balzac; acabo de tomarme cincuenta tazas de café, una tras otra, tan sólo para terminar esta línea.

A la fuerza

El Autor prendió fuego a la Casa de la Novela a esa hora exacta del día, y la Marquesa salió a las cinco.

Agonía del parto

El veterano autor de minicuentos hace horas permanece con el codo apoyado en su escritorio, tratando de extraerle el jugo a una cuartilla que se resiste a ser hendida. Está ansioso por poner punto final en el primer y único párrafo de su fábula donde inconscientemente, no aparece ningún animal. Sólo el bicho de la impaciencia. Punto.

Doble justicia

Momentos antes de que el instrumento del encapuchado cayera sobre su cuello con ese siseo ríspido cortando el aire de la tarde, la víctima tiene tiempo de pensar que sobre su persona, se comete una evidente reiteración, una sobredosis de justicia, redundante, sin duda.

El bulto peludo cae en la cesta colocada bajo el picador y el reo no puede mover las manos para deshacerse de la sangre que le nubla repentinamente los ojos. Pero ahora que han separado sus músculos del pensamiento, nuevamente piensa que su ejecución no era en ningún caso necesaria, al menos este tipo de ejecución, porque hacía ya varios meses había perdido la cabeza por la reina.

El puente

En alguna parte del sueño me aguardaba, después de unos árboles absurdamente torcidos, en una pequeña llanura en la que ondulaban las hierbas con el batir del viento azuloso. Era un león joven, corpulento, de cabeza imponente y parecía sereno, seguro en su determinación. Más allá, mirando en lontananza, no se divisaba sino el desgajamiento de las nubes acumuladas sin geometría aparente.

Primero inició la carrera premonitoria, alargando los pasos a medida que se acercaba. Fue al comenzar [71] el salto mortífero cuando intenté despertar, quitarme de la mente esa pesadilla horrible.

Desperté con una sensación angustiante y pedregosa en la garganta y la respiración anhelante de quien sale de un trance peligroso. Percibí, también, el traspaso brusco de un bulto peludo y voluminoso entre las cejas, como si alguna frontera hubiese sido violada y yo sólo fuese un camino para transitar desde lo ignoto, o mejor aún, como si fuese un puente.

Revisando el cuarto a oscuras barrunté, efectivamente, al león, su silueta poderosa, corriendo desesperado de un lado a otro, incómodo. Comprendí que había equivocado el salto y ahora se hallaba atrapado en la realidad, sin la protección del sueño, enjaulado como nunca.

Al notar mi vista fija en su figura inquieta, detuvo el correr alocado, se volvió e inició nuevamente otro ataque.

Esta vez me sentí más tranquilo, porque sabía que yo no era su objetivo, su presa inmediata. No saltaba hacia mi cuerpo, sino intentaba regresar al sueño, hacia allí donde yo lo soñaba.

Posibilidades

—¿Esta es la entrada de la ciudad?

—Sí; y supongo sea también la salida ¿no?

—Exacto. Más allá no hay ciudad, sólo campo abierto, extensión sin límites.

—¿Y usted viene?

—Por supuesto. Y usted va, sin duda.

—Voy.

—Debo suponer que no le ha ido bien por aquí...

—No completamente cierto. Mejor diría no muy bien. Probaré suerte en la otra parte.

—También yo.

—¿Y a usted cómo le fue en el espacio abierto que acaba de nombrar?

—No como esperaba. Pienso resarcirme en la otra vía.

—Eso es: la ciudad o la expansión; la dispersión constante... Dos posibilidades. Cada cual ha escogido lo óptimo.

—No exactamente. Habría una tercera posibilidad.

—¿Una tercera? En verdad no entiendo, ¿cuál tercera?

—Quedarse atrapado aquí, en la frontera.

—Entonces ¿esta es la frontera entre el ir y el venir?

—Esta es, por cierto.

—Yo prometo salir de la ciudad.

—Yo prometo entrar a ella.

—Hasta luego, pues. Y suerte.

—Lo mismo te deseo.

—Entonces, ¿vienes?

—Sí. Y tú, ¿vas?

—Sí...

—¿Y la frontera?

—La traspasaremos, supongo.

—Hasta nunca.

—Hasta nunca.

[74]

soleida
ríos

Breve historia
de la muerte de Tana[1]

Tana murió en Guaracabuya un 13 de diciembre. Murió sin que la vieran actuar ni los de Placetas ni los de Guaracabuya.

Avisaron. Estábamos en una reunión del Consejo. Recibimos esa noticia. El Consejo estaba dedicado a otro asunto: discutíamos lo de hacer una brigada cultural. La idea era montarse todos en un vagón, los de las distintas manifestaciones artísticas, e ir a los campos de caña. Uruguay, Tuinucú, Guayos. Como todo eso se comunica por líneas de ferrocarril. Son centrales azucareros. Habíamos preparado un vagón para que la gente durmiera allí. Con espejos, literas, baños. Dos baños, uno para hombres y otro para mujeres. Un vagón de caña pero con techo. Habíamos hecho todo eso. Lo pintamos de verde.

---

[1] La licenciada Gisela Rodríguez, natural de Placetas, dio a conocer este precioso documento que la estudiosa cubana Teresa Lavandero atribuye a nuestra Aurora Sores y Sores, no sin reservas referidas al estilo y a la propia pertinencia literaria del texto. Juzgue si no el lector teniendo en cuenta sus palabras: "¡Ah, Madre Literatura... ¿hasta dónde?!"

En el Consejo estábamos discutiendo..., cuando llaman por teléfono y dicen que Tana estaba enferma, que había que localizar al veterinario. El hombre de Gobernación de Guaracabuya se había puesto muy nervioso, llamaba a cada rato, entorpecía el Consejo. Pero suena el teléfono una vez más y Víctor Hugo, el director de todo Placetas, se pone bravo, furioso, a él le daba a veces como una especie de alferecía, y cómo no iba a darle, ya se le había pedido al Director de Guaracabuya que no molestaran más, pero la secretaria dice "no, creo que ahora es otro el problema..."

El problema era que nos habían chocado el vagón y el vagón se había descarrilado. El choque hizo que se metiera por una línea por donde venía el tren central, el tren Santiago–Habana lleno de pasajeros.

Víctor Hugo interrumpe el Consejo, no faltaría más, nos montamos todos en una guagüita amarilla y verde y nos personamos en el ferrocarril de Placetas. El administrador del ferrocarril nos dijo que nos iba meter el arbitraje estatal por esa irresponsabilidad, que un choque del tren central no era juego de muchachos. Tanto dimos que al fin apareció un tipo, el mejor chuchero de todo Placetas y, como por arte de magia, en un santiamén, el hombre cambió las líneas. Todo el mundo respiró aliviado. Un instante después vimos pasar, rumbo a Cabaiguán, los quince coches repletos de gente del tren central.

Víctor Hugo dijo "bueno, vamos a continuar el Consejo". Montamos en la guagua y nos mandamos otra vez para la oficina. Llegando allí entró la llamada con la noticia, nos enteramos: Tana muerta.

Loraine Masvidal, presidenta por sustitución reglamentaria del Grupo Patrimonial, fue enviada a Guaracabuya con la misión de salvar la piel de Tana. Que no la fueran a enterrar. Aprovechar la piel de Tana y armar una elefanta para el futuro Museo de Ciencias Naturales de Guaracabuya.

En Guaracabuya, entretanto, habían tenido que interrumpir el trabajo de la Empresa Constructora para ¡poder enterrar a Tana! Necesitaron una excavadora y luego una grúa para levantar el cuerpo. Fue difícil, pero lo consiguieron.

A las cinco de la tarde aproximadamente llega Loraine Masvidal a Guaracabuya. Se encuentra con que el entierro de Tana era ya cosa pasada, como dicen allí, tierra y pisón. ¿Qué hace Loraine? Decide ir a hablar con el de la Empresa Constructora para que le prestara la misma grúa y la excavadora con el fin, claro está, de desenterrar el cuerpo de Tana. El compañero dijo que no, que él sí no estaba jugando y tres o cuatro cosas más. Entonces Loraine se dirigió a Gobernación y explicó la importancia que tendría exhibir una elefanta en el museo de Guaracabuya. El hombre de Gobernación se percató de que era cierto que iba a ser el único museo del país que tendría un elefante y, siendo Guaracabuya, como lo es, el centro mismo de la Isla..., dio la orden. "Hagan lo necesario", dijo.

Volvieron a trasladar la grúa y la excavadora. La gente, por la calle, como es un pueblo más bien chiquito, mirando eso y pensando que qué se creían esos choferes, paseándose por el pueblo como si esos equipos no costaran nada. Pero había que desenterrar rápidamente a Tana porque, según Loraine, la piel podía descomponerse enseguida, coger gusanos.

Bueno, se hizo de noche. Desentierran a Tana. Tuvieron que contratar a ocho carniceros y aún así no fue suficientemente rápida la operación de descueramiento. Los ocho carniceros precisaron de toda la noche y la madrugada para descuerar y descuartizar a Tana.

En esos días, da la coincidencia, estaba en Guaracabuya, en el museo, un compañero de la Academia de Ciencias. El motivo de su visita era la ballena. Porque ese museo tiene su ballena. El compañero hacía un estudio de los huesos de la ballena. Y, como es lógico, enterado de la muerte de la elefanta, llama a La Habana e informa para que la Academia se quedara con el animal. La Academia responde que sí, y lo manda a hablar directamente con Víctor Hugo, el director de todo Placetas.

Se arma el litigio. Loraine y los demás del Grupo Patrimonial no estaban de acuerdo. Si la elefanta, tristemente, murió en Placetas, le pertenece a Placetas. La Academia, representada por el compañero, dice que no, con el argumento de que la elefanta era pertenencia del Circo Nacional y le correspondía, por tanto, a la Academia de Ciencias.

Por fin se llegó a un acuerdo. Placetas se iba a quedar con la piel y la Academia con los huesos de Tana. Los huesos quedarían enterrados allí mismo hasta que se curaran. Ahora el problema era dónde guardar la piel de Tana, que requería una temperatura bajo cero. Lo único que había disponible era el refrigerador del comedor obrero de la Oficina de Gobernación. Pero he aquí que los trabajadores estaban en contra de que guardaran allí una elefanta muerta. Claro, Dios aprieta pero no ahoga: la Pesca prestó un frizer y ahí metieron a empujones la piel de Tana, porque casi ni cabía.

El bulto fue de Guaracabuya para Placetas. Primero no aparecía el lugar idóneo, luego, ningún lugar donde meter un frizer tan grande. No cabía en ningún lado. Se decidió, después de mucho análisis, colocarlo provisionalmente en la parte de atrás del cine Placetas, que estaba en ese momento en reparación. Ahí iban a parar todos los tarecos, los libros mojados, las cosas en desuso, todo lo que apareciera.

Aquí no acaba la cosa. Pasa el tiempo. Un día comenzaron a llegarnos quejas de la población. Quejas

[78] y más quejas. Parece que el frizer tenía algún desperfecto y la piel de Tana se empezó a descongelar y a soltar un agua negra que rodaba, pasaba por debajo de la pantalla, llegaba a las primeras filas de butacas y se acumulaba debajo de los pies de los espectadores. Empezaron quejándose al administrador, por la peste y los pies mojados en agua sucia. Después, en todas las instancias. Tantas quejas daba la gente de Placetas que llegó en esos meses una inspección del Organismo Superior y hasta ellos, los inspectores y dirigentes, tuvieron que ir a ver la catástrofe que había generado allí el Grupo Patrimonial y soportar además aquella pestilencia.

Por fin se toma una decisión. Tantos meses llevaba la piel de Tana en el frizer guardado en el fondo del cine Placetas como meses llevaba el Consejo refiriéndose a ese punto. Reuniones van y reuniones vienen, sin un acuerdo definitivo. Entonces deciden botar la piel de Tana. Había que buscar otra grúa para mover el frizer, porque tenía tanta peste que era preferible enterrarlo también. Así se hizo.

En el último momento, cuando ya se había tomado la decisión, Víctor Hugo, el director de todo Placetas, dijo "espero que de ahora en adelante podamos realizar nuestro Consejo en paz".

Ah, pero después ¿qué sucedió? Ahí tampoco terminó la historia.

Enterraron los restos de Tana con frizer y todo como se había acordado, pero con tan mala suerte que, teniendo Placetas, como los tiene, 580,5 km^2, fueron a enterrar el frizer nada menos que en dos de los 88 m^2 que se habían entregado meses atrás a la Asociación de Jóvenes Ecólogos Independientes de Placetas. Entonces, no le habían terminado de echar encima la última tierrita al frizer aquel y ya llegaba alguien, uno de la Bandada, como les llamó con mucha razón Víctor Hugo, a empezar a quitársela. Y no sólo eso. Quitar la tierra y ver el frizer significó el comienzo de una cadena de actos inexplicables que jamás ocurrieron aquí. Lo primero fue tener que ver, de día y de noche, alzadas a siete metros de altura, cuatro banderas verdes con sendos árboles blancos ondeando en el cielo de Placetas, las cuales conformaban un cuadrilátero de idéntica medida, suponemos, que el perímetro del frizer, y abrieron ya para siempre en las mentes de los placeteños un signo de interrogación imposible de cerrar por nuestras autoridades.

Una representación de la Asociación de Jóvenes Pintores Independientes, de la Asociación de Jóvenes Escritores Independientes y de la Asociación de Jóvenes Intérpretes Independientes se personaron, juntas y encabezadas por la AJEI, en la oficina de Víctor Hugo, el director de todo Placetas. ¿Qué hizo Víctor Hugo? Pues hacer de tripas corazón y reunirse con la Bandada. Resultado: Víctor Hugo, que sabe lo que hace, asombrosamente tranquilo, como si nunca hubiese sido presa o castigado por esa especie de alferecía que a él le daba, oyó hasta el cansancio los argumentos de la AJEI salpicados de palabras como "herrumbre", "oxidación", "oxigenación", etc., y asumió por entero la responsabilidad. "Habrá que comenzar todo de nuevo", dijo, despidiéndolos cordialmente en la puerta de la oficina.

[80]

alberto garrido

El muro
de las lamentaciones

Debo, para imitar el Tlon Uqbar, Orbis Tertius, a la conjunción de unas páginas sobre Octavio Paz, una muchacha negra y un vagón de tren desvencijado, el descubrimiento de uno de los capítulos más importantes de mi errática vida erótica.

El principio

En el principio, fueron la noche fuliginosa y la voluta que Nuestra Heroína brindaba con sus dedos raquíticos, tácita promesa de otra sesión que nos transportara al Infierno o a sus chillidos de cubana gritona sobre la fornicatríz, o al olvido del ser, al simple olvido. Pero ya no toleraba su aliento, sus alusiones políticas, sus citas fieles de los sagrados, que era como llamaba a ese infinito Club de Poetas Muertos que yo sospechaba acudían a vernos fornicar, follar, yogar, coger, hacer rico nanai, o como quiera decir el narratario de este texto. Sí, amigos, no toleraba las paredes roñosas del cuartucho ni su culo paradito y acechante, en fin, que estaba harto de la poesía y los sórdidos pitillos de los días monovaginales y la felicidad, del país, de todo.

No reproduciré toda su diatriba admonitoria contra el hedor de mis pies, mi vocación pantagruélica y mi "sarna intelectual", según terminó diciendo, antes de sobarme una mano para que perdonara su discurso kitsch, poniendo la cara oficialista de la Magdalena arrepentida. Pero yo me volví en el camastro de muelles reaccionarios. Seguí de espaldas, los ojos puestos en la pared. Nuestra Heroína dijo entonces "Mañana me voy para La Habana. Regresaré algún día." Se inclinó, me besó sin pasión y me envolvió en su profunda voluta luciferina.

El camino de Santiago

Cuando la voluta se dispersó pude ver que Albert Albert, como me presentaré en lo adelante para el lector, se encontraba en un andén atestado. A lo lejos, tras una curva, observó una negra nube de humo levantarse sobre la silueta de los pinares y luego apareció una locomotora, pitando. Haría, pues, un viaje a Santiago de Cuba, que siempre enfrentaba mentalmente como una peregrinación, como el pago falaz de una promesa.

Muchas veces había visto mujeres y hombres ascendiendo la escarpada colina que conducía a la iglesia de la Virgen de la Caridad de El Cobre. Hincados de rodillas, subían hasta el Sanctosanctorum, sangrando, invocando con los labios apretados a la Virgen Patrona de Cuba, a quien la leyenda hizo aparecer misteriosamente en las aguas del Caribe para sofocar una tormenta y salvar la vida de algunos pescadores. Desde ese momento remoto la imagen de la mujer cubierta por un manto amarillo y azul se convirtió en alivio y esperanza. Por eso, la iglesia en el poblado de El Cobre, a pocos kilómetros de Santiago, aumentaba [81] el número de acólitos, ateos curiosos y turistas de todas partes del mundo que compraban pepitas de cobre para la buena suerte y miraban boquiabiertos o fotografiaban con alevosía a los pagadores de promesas que arrastraban las rodillas atroz, decididamente, hacia la virgen que la santería había hecho coincidir con Ochún, diosa de las aguas dulces, la paz y la fertilidad, la diosa puta.

Érase entonces que, obligado a viajar a Santiago, para saber de la madre, los hermanos y un puñado de amigos, Albert Albert tenía que someterse al único medio posible: un tren museable que partía de Camagüey y hacía un total de setenta y nueve paradas en puebluchos miserables, paraderos, capitales de provincias, vaquerías, centrales azucareros, zonas de cruce, descampados, y recogía a personas, gallinas, ovejas, puercos, e innumerables bultos que contenían ropa, azúcar, café y arroz en proporciones destinadas al mercado negro, mientras los policías a bordo entretenían el tedio en revisar cada paquete y en decomisar las mercancías antes de multar severamente a los infractores de la Ley y la Constitución y de repartirse entre ellos las mercancías confiscadas.

Albert Albert en el vagón

Impelido por la necesidad, abordó el último vagón, cogí el angosto pasillo y logré embutirme heroicamente entre cinco personas que fingían enfrentar el viaje con estoicismo. Para Bajtín, en sus estudios de la novela, el cronotopo del camino-viaje es uno de los más significativos, pero en el mundo de los hechos reales, para Albert Albert constituía uno de los momentos más repudiables. Inmediatamente sacó un grueso volumen de entrevistas (*Siete voces* —los más grandes escritores latinoamericanos se confiesan con Rita Guibert—, organización editorial Novaro, S.A, México,

1972, 473 páginas) decidido a olvidarse de quién era y dónde estaba, si Octavio Paz y Rita Guibert me ayudaban.

Por supuesto, fue imposible, de modo que me convertí en testigo involuntario de las conversaciones entre los compañeros de horda. Una vieja regresaba de visitar al hijo que había participado en una constelación de campañas militares por África y América Latina, dos hermanos parecían sostener una relación incestuosa, una muchacha llamada Brígida fatigaba un monólogo acerca de la sexualidad en la infancia, citando a Lacan, para cautivar a un tipo feo que asentía embelesado y mantenía en precario equilibrio sus espejuelos de botella.

Brígida (en tono bajo, freudiana): La libido comienza en la infancia, con la no satisfacción del objeto deseado, das Ding, o sea, el padre o la madre.

El tipo feo, al parecer, había visto despertarse su libido y Brígida, ahora frígida y lívida, le hurtaba sin mucho éxito el contacto con sus muslos. Intenté olvidarlos a todos, mientras veía como el tren entraba en otro pueblo calcinado y se detenía y subían como la inflación grupos con las caras estresadas por el hambre y la espera. Así llegó y se acomodó como pudo en el pasillo una muchacha negra, medio borracha o drogada o en trance, a juzgar por aquel raro, suave vaivén de sus caderas, cubiertas por una falda raída, sucia y corta, en un movimiento que ella misma no parecía advertir, acodada y con los ojos cerrados, y que constituía, sin duda, una caída vertiginosa en los terrenos de

Ese oscuro objeto del deseo,
porque a pesar de que Albert Albert intentaba concentrarse en el volumen, percibía de alguna manera que la muchacha negra era un signo que concurría [83]

[84] para que él lo interpretara, y aquel suave vaivén de las caderas confluía de algún modo indescifrable con su recuerdo en la infancia de la primera visita al santuario de El Cobre.

Rita Guibert preguntaba: "¿El erotismo es amor?" y Denis de Rougemont decía: "El amor ha sido el culto secreto, subterráneo de Occidente."

Y la lesbiana Clairwill: "El verdadero libertino es impasible. Tú eres demasiado fogosa."

Y la muchacha negra seguía en el pasillo, hecha de viento, como si un río le moviera las caderas, por lo indefinible, como si hubiera algo sagrado en ella, a pesar de la falda mugrienta, en un diálogo inasible entre su espíritu y su cuerpo.

Entonces Octavio Paz dijo: "Porque el cuerpo no es idea ni crítica: es placer, fiesta, imaginación."

Y en ese instante, la muchacha negra detuvo el movimiento sísmico de las caderas para decir, con una voz que no parecía de este mundo:

—Ayyyyyyyyyyyy, qué ganas de chingar tengo.

Octavio Paz, Brígida, la vieja homérica, Denis de Rougemont, los hermanos de incesto y Rita Guibert miraron con escozor hacia el pasillo.

Albert Albert comprendió que aquel viaje en tren me situaba en el umbral de lo desconocido, en una afluencia de sangres cuyas relaciones nunca habían sido tomadas en cuenta. Sí, algo inolvidable le ocurriría a Albert Albert en el camino de Santiago.

Un ángel con el ala partida

León (no Trotsky), La Liliputa, Marcos y yo estábamos endulzando nuestro segundo café en La Isabelica, nuestra burda imitación europeizante de la vida bohemia en los años en que se podía ser muy pobre y muy feliz. Pero no escuchábamos el último tango en

París, sino el opaco barniz folclórico de dos músicos pésimos, bolericidas.

Todavía no había caído la tarde y el Café podía seguirse llamando La Isabelica y no La Isabeloca, como lo habíamos bautizado porque por la noche se convertía en literales Sodoma y Gomorra. A la Liliputa no le gustaba que bromeáramos a costa de los paisanos porque aparte de ser feminista sostenía la hipótesis de que cualquier hombre tiene un maricón dormido y todo está en que no se le despierte. Nos gustaban sus arrebatos porque a veces terminaba con las venas del cuello hinchadas, la cara congestionada, y acusándonos de infelices bugarrones machistas, lo cual, según ella, era la peor forma de la mediocridad.

Con el tercer café nos pusimos rabiosos y nostálgicos y recordamos a los que ya no estaban, a los que el éxodo, el suicidio, la locura y la buena suerte se habían llevado. De los que quedábamos había poco que decir. Los viejos escritores folcloristas continuaban con sus riñas generacionales, los oficialistas y los posmodernistas discutían agriamente acerca de la negación de la historia, y la casona de la Unión de Escritores era una cueva de beodos.

León (no fray Luis) dijo: Es la dispersión total, la señal de los nuevos tiempos. La desconfianza, el silencio, la puerta cerrada, el estupor contra lo que vendrá, que nadie sabe.

Del Santiago que mi visión de marinero en tierra y desterrado por obligación profesional edulcoraba, no persistía un simple adoquín, ni un solo resquicio. Las calles seguían empinadas y tortuosas, siempre camino al Tivolí y al mar, al puerto que por las noches semejaba un paraíso de luces. Pero ahora, fuera de mi rencor y mi deseo de restituirle su dignidad, sus viejas guitarras y su magia, se respiraba un indicio ominoso en el movimiento de los que se apostaban,

[85]

acechantes, frente a los hoteles, restaurantes y comercios construidos para el turismo o el uso de las corporaciones, y había visto a niños pidiendo limosna y a las piaras de putas haciendo el pan cada noche de Dios.

Sin duda León (no Tolstói) tenía razón, y tal vez por eso las peleas entre Marcos y la Liliputa siempre terminaban en orgasmos reconciliatorios. Tal vez yo necesitaba vagar por las calles para ver si encontraba un atisbo, una señal que me llevara al Santiago de Cuba de mi infancia, al que tuvo los mejores carnavales de América, trompetas chinas y muñecones y serpentinas y malta y carrozas y dulce y melado de caña y pru frío y comparsas y frutas y el parque Céspedes y risas y el ángel con un ala rota en el frontis de la Catedral. Entonces pregunté por el ángel y ninguno pudo entender y tuve que repetirles, carajo, el de la Catedral, el de el ala partida, y León (no el IV, el Jázaro) me contó que habían levantado un esqueleto de maderas y andamios, alzado el ala del querubín desgraciado, y se la habían pegado, de manera que ahora todos los turistas y nativos de la ciudadela podían admirar un milagro de la ciencia y la arquitectura modernas: el único ángel que usaba una prótesis celical.

¡Oh, Berena, venérea!
Abandonamos La Isabeloca crepuscularia cuando algunos demonios con las alas chamuscadas comenzaron a llegar, y sin hacer caso de las protestas liliputienses nos fuimos al Boulevard. Albert Albert se encontraba de pésimo humor, pero no le duraría mucho tiempo. Se le desvaneció cuando aparece en el espacio de los hechos, en la línea del *sujet*, como dirían los narratólogos, una de las piezas claves de nuestro relato.

Era mulata. Según ella el viernes los astros girarían a su favor, caerían meteoritos, se reuniría el Taller de la Ciudad y estábamos invitados. Luego desapareció Enramadas abajo. León (no Brower) me explicó que el Taller de la Ciudad era un engendro situado en La Esquina del Fuego, que reunía a una veintena de imitadores, locos, disociados, informantes y enajenados que pretendían llamarse escritores, con perdón de los duendes. Allí decidían democráticamente, es decir, levantando la mano, si un verso de equis poema podía permanecer o no. La Liliputa apuntó, visceral, que la muchacha se llamaba Berena y era una loca, disociada, informante y enajenada.

Pero nuestro héroe no la oía: evocaba la piel trigueña, los ojos grandes, oscuros y brillantes, y la boca pulposa y los senos gangsteriles apuntando bajo el vestido y aquel movimiento de sus nalgas insinuando el signo del infinito matemático, mientras se alejaba culeando alegremente por la calle de los comercios.

Esa noche tecleé como un endemoniado, enfebrecido por el recuerdo. Luego, junto a los cinco cerditos, mis hermanos, devoré la magra ración que mi mamá nos había servido. Mamá tenía las uñas ennegrecidas por cocinar con leña, y las manos cruzadas por herpes provocados por jabones de pésima clase. Para olvidarla, regresé al escritorio y releí lo escrito:

Imagina que te amo como a los pastos limpios/ que mi piel no perdió en cruzadas/ su locura habitual de pronunciarte./ Ahora no hay una esquina de árbol,/ una raíz que te quepa en el vientre y funde una ciudad,/ algo así como un puente de malas palabras celicales./ El resto es viajar como Walt Disney/ por la ciudad inventada, quise decir, tus nalgas, / ese juego de bolos, manjar de humo,/ huestes al borde de la tinta/ donde clavo tu nombre/ contra el jerez inhabitual de tus dos senos./ El resto es abrir

[87]

las puertas/ y adornarte como a un árbol,/ cazarnos la música silvestre y los viejos peligros./ El resto es sólo vanidades de la feria/ a la que no fuimos, por suerte, invitados.

Disney, Berena y el Gran Glande

Cuando Albert Albert salió al día siguiente, buscando el corazón de la ciudad, un solo propósito lo animaba: encontrar a Berena, contarle lacónicamente de la solitaria sesión onanista a costillas de ella, y mostrarle el poema como prueba irrefutable. Si exagero, es solo para mostrar la intensidad del objeto deseado y no satisfecho, das Ding. La encontré en horas de la tarde, le deslicé el poema y Albert Albert se alejó para observar qué efecto causaba. La vi cambiar de color, censurar. Eres un loco, pero enseguida sonrió, aprobó con los ojos, dijo Me gusta.

Se metieron en el cine Cuba y buscaron el piso superior. Lo sorprendente fue que, en cuanto Berena se acostumbró a la penumbra, sin que mediaran siquiera unos segundos, realizó una rápida y dolorosa inspección policial sobre la portañuela de Albert Albert.

Tal vez deberíamos correr un velo piadoso sobre lo que sucedió después. Berena, repentinamente, se echó a llorar y conocí su trauma: unas pocas horas antes, su padre había sido detenido por manosear a una tal Dolores Haze, una vecinita, una nínfula barataria de tan solo once años que ya enseñaba las nalgas en un shorcito apretado desde el balcón y mostraba los pechitos en flor. Y mientras su padre se estaba pudriendo en una celda, ella, su hija, estaba en un cine con un tipo, peor, un desconocido, mucho peor, un poeta, calentándose como una gata en celo o una perra ruina. Estreché a Berena contra mi pecho y su olor y su historia me fueron excitando mientras ella se resbalaba lentamente y sus lágrimas comenzaron a diluviar sobre el pene y el pene comenzó a despertarse, a reconocerse, a dignificarse, a transfigurarse en objeto deseado y no satisfecho, en das Ding, hasta su conversión total e irrevocable en hierro y verdugo, mientras Berena lo encontraba frente a sus labios pulposos y adoptaba la pueril actitud de una niña ante una paleta, lanzando un gritito de gozo, lamiendo los bordes y relamiendo, antes de morderla, chuparla, sacarla, escupirla y tragarla y me eché hacia atrás y ella me persiguió con los labios en O y le sujeté la cara para que mirara la oleada que le cayó como una larga serpentina en el pelo, la frente, las cejas, los ojos y le corrió caliente hasta la lengua que apuntalaba con fervor los latidos del Gran Glande, y tuvo que levantarse el vestido hasta la cintura para secarse, antes de decirme que la había bañado en leche, mirra y áloe, y perdoné aquella ridícula emulsión romántica porque en ese instante me di cuenta de que una acomodadora nos había acechado y filmado, parapetada tras un ángulo caprichoso de la arquitectura interior del cine. Ahora sí corramos un velo piadoso por lo que sucedió después.

El Club de los Poetas Muertos

A pesar de todas las reservas que Marcos y León (no Felipe) agotaron, Albert Albert se encaminó a La Esquina del Fuego. El recinto del Taller de la Ciudad era una casona inmensa, con una larga sala de mosaicos y un gran patio interior en cuyo fondo había una barra que en la tarde lucía desértica y fantasmal.

Berena se había puesto un vestido de flores que me hacía recordar las pinturas de Portocarrero. Los muslos, las caderas y los senos se apretaban contra la tela, contra las flores, de tal modo que a veces confundía los pezones de Berena con los botones que pululaban en aquel jardín tropical.

Después de la conversación entre mis órganos genitales y sus órganos faciales (entre la cara oculta y la cara descubierta), parecía dispuesta a inmiscuirme en todos los lugares comunes de su arquetipo amatorio: las faltas de disidencias, los juegos, la conjunción erótico-onírica. Pero cuando Albert Albert se vio sentado entre la mulata Berena y la rubia Zurama (según Berena, su mejor amiga), obligado a escuchar al grupo de locos, disociados, informantes y enajenados, la burbuja paradisíaca se reventó, a pesar de que Berena persistía en frotar, por debajo de la copia infame de un poema infame y por encima del pantalón, a un miembro desconfiado e izado tan solo a media asta, mi otro Yo.

Imaginemos a Albert Albert con la sensación de haber atravesado el espejo de Alicia para encontrarse en el Más Allá, presenciando la tertulia de un Club de Poetas Muertos, convertidos, en ese purgatorio de las almas pecaminosas, en simples caricaturas, bajo el calor de la tarde santiaguera y el grito de una corneta china (Abaddón sonando su trompa). Mayakovski se llevaría a la sien un grueso volumen de las páginas de *El capital*. Whitman escucharía como un dios benévolo al pobre resto de atormentados, perdonando las digresiones fatales de Petrarca, el pesimismo de Baudelaire, los hipos dipsómanos de Poe, aplaudiendo la llegada de Lezama sobre un mulo rapsoda. Detrás, el espíritu impenitente de Rulfo quemaría cada una de las copias que cayeran en sus manos. Después escuché un agudo chillido de cornetas y en la nada apareció una muchedumbre entre humaredas, serpentinas y tambores y un fuerte olor a orine y se hizo de noche y Albert Albert sintió cómo lo atravesaban las mulatas meneándose frenéticamente y las navajas que hendían nerviosamente el aire y los gritos y los cueros y los muertos. Y yo era otro de ellos.

Taberna y otros lunares

De esa zozobra onírica pude salir Albert Albert gracias a Zurama y Berena. Pasaríamos al patio interior a participar en la parte etílica de la tertulia. Nos sentamos al borde de la pista, Berena en el escalón inferior, entre mis piernas, y Zurama a mi lado y mi amigo Baudelaire a unos pasos, intentando formar el cuarteto de Alejandría, con perdón de Durrell, pero Zurama lo ignoraba y lo inodoraba, porque en varias ocasiones dijo que iba al inodoro, pero se veía claro que era para quitarse de encima toda esa fraseología existencialista. Zurama solo intentaba divertirse, y se reía a carcajadas con mis chistes procaces contra el mundillo mediocre de los intelectualoides y los oficialistas y el poder.

La única bombilla estaba pintada de rojo y caía exactamente sobre el héroe de nuestro relato y sus acompañantes. Por un altavoz comenzó a segregarse la peor música y los clientes nocturnos de La Isabeloca ocuparon toda la parte de la pista envuelta en penumbras. En la barra había un movimiento nervioso; algunos volvían con vasos llenos de ron, vino, menta y bebidas combinadas. Safo y la Stein, la lesbiana Clairwill y Juliette, y Ginsberg y Kerouac se pusieron a bailar. Berena y Baudelaire subieron al cabo de un rato. Así comienza el sórdido momento climático (¿orgásmico) de El muro de las lamentaciones.

A Zurama le caía el pelo rubio sobre un lado de la cara y tenía que echárselo atrás con sus dedos de uñas larguísimas. Tenía un lunar en la mejilla y otro en la boca. Bajo la luz irreal sus ojos parecían de color miel y sostenían la mirada de Albert Albert sin rubor, casi con descaro, como un rasgo natural o un principio elemental y primitivo cuando se relacionan una mujer y un hombre. Pero Albert Albert, como el general de Gaulle, sabía que las mujeres, al igual que las naciones, se mueven por intereses: su interés consistía en saber qué pensaba yo de cierto poema que ella había escrito y conocía de memoria, de modo que si yo acercaba mi oreja a sus labios podría escucharlo sin que nos perturbara la música atronadora y ella tendría un juicio lúcido sobre sus versos, etcétera.

Ah, "la carne que tienta con sus frescos racimos". Qué hijo de Adán podía convertirse en Nada, su reverso, y dar un juicio cualquiera, pobre o lúcido, cuando aquel poema fue convirtiéndose lentamente en una serie de sonidos y suspiros y cosquilleos que iban de la oreja a las circunvoluciones cerebrales y de ahí a los genitales de Albert Albert, siguiendo la vía marxista del conocimiento. Zurama terminó con los ojos cerrados, psicalíptica, introvertida. Le disparé a quemarropa el poema "Desnuda", de Roque Dalton. Cuando pudo abrir los ojos, sin decir una palabra, se levantó y me condujo hasta la barra. Pidió dos tragos de menta y bebió la mitad del suyo de un golpe. Echó la cabeza hacia atrás y con cierto aire de Lauren Bacall dijo que en este momento yo podía fingir que nada había ocurrido; era una locura, pero si yo lo deseaba seguiría adelante: estaba dispuesta porque precisamente era una dulce locura y la disfrutaría a pesar de Berena.

La besé junto a la barra, primero en el lunar de la mejilla y luego en la boca y me pareció que muy cerca Roque Dalton me hacía un guiño cómplice y lo borré y besé a Zurama en el cuello. "Sí, tengo uno aquí en el seno, y otro en el muslo, y otro..." así jugaba sus cartas y sus lunares, sabiendo que la promesa de lo no visible podía arrastrar a Albert Albert, hacerlo olvidar el movimiento telúrico de las caderas de Berena.

Cuando calló la música, Berena y Baudelaire retornaron a los escalones. Cogí por una mano a Zurama y volvimos junto a los otros. Nos sentamos como al principio: Berena un escalón más abajo, entre mis piernas, y Zurama a mi lado, y estuve circulando los vasos de Berena a Zurama, y cuando la menta era absorbida por Berena yo acariciaba uno de los muslos de Zurama, el de la promesa del lunar, y cuando la menta volvía a Zurama, yo acariciaba una de las tetas insolentes de Berena, bajo el foco seguidor que debía convertirnos en Los advertidos de esa noche, aunque detrás de nosotros Safo y la Clairwill se estrujasen y Piñera iniciara ante Tennesse Williams una inolvidable escena de celos.

Fue entonces que escuché la risa del diablo, pidiéndome que fuera más lejos, que lo alcanzara, y mientras acariciaba aquel pezoncito que Berena ponía con el viento a mi favor, se me ocurrió inclinarme hacia Zurama para morderle los labios. Berena no hizo ni un movimiento entonces ni cuando Zurama y yo nos separamos, jadeando. Sólo minutos después me devolvió el trago, se quitó suavemente mi mano de encima y llamó aparte a Zurama.

Las vi conversar largamente, en voz baja, casi pegadas y fuera de la luz, sin gestos bruscos, sin riesgos aparentes para la seguridad nacional de Albert Albert. Después ocurrió lo más sorprendente: se abrazaron y besaron efusivamente, y regresaron enarbolando un falso aire conciliatorio. Zurama se sentó y dijo que todo se había arreglado (¿el artista convertido en mercancía?): Berena estaba llorando, no por mí, por su padre, acusado injustamente de haber manoseado a una naciente putica de barrio; si yo quería, para facilitar la situación, mejor nos íbamos.

[93]

El último recuerdo que guardo de Berena dentro del antro dantesco es el de su mirada de animalito cuando me cogió una mano, la pasó por su seno izquierdo, supongo que por el dolor profundo en el corazón, y la llevó hasta sus mejillas para que percibiese sus lágrimas. Así cayó el telón final sobre el retablo de El Club de los Poetas Muertos.

El muro de las lamentaciones
(*primera parte*)

Albert Albert (separando los brazos lentamente): ¿Qué te parece? Zurama (abriendo desmesuradamente los ojos): Dios mío, es perfecto.

Habíamos esquivado el hilo de calles del centro de la ciudad y nos detuvimos en una callejuela apartada, frente al Conservatorio, envueltos en la oscuridad, contentos de haber huido de los estereotipos melódicos y de los fantasmas eróticos. Titilaban azules los astros, a lo lejos. Nos sentíamos protegidos por aquel muro enorme, majestuoso e inmemorial, que parecía querer comunicarnos secretamente toda la inabarcable memoria de las cosas que ya creía perdidas, sepultadas en la vieja ciudad. Aquel descubrimiento me hizo poner a Zurama contra el muro: quería reinventar a través de ella los ritos de las sociedades secretas, las pasiones que el muro había sopesado, juzgado y aliviado, los murmullos de los amantes que prefiguraron otro tiempo, los cantos de los vendedores ambulantes y el olor nuevo de los árboles ya añosos, las meditaciones y pugnas y palabras diluidas en otro aire, porque acababa de intuir que todo muro es tentativamente una frontera, y penetrar a una mujer es como atravesar esa misma frontera, asumir infinitas posibilidades de atisbar lo inapresable tras unas piernas separadas que enseguida se enhorquetaron sobre las caderas de Albert Albert y comenzaron a moverse suavemente, mientras las manos iban a desordenar el pelo rubio, a echar el cuerpo hacia atrás, y yo abría los botones de la blusa y encontraba el lunar y la piel y aunque sentimos los pasos de alguien continuamos moviéndonos cada vez más desaforados, y los pasos se convirtieron en un vigilante nocturno, un viejito que hacía su recorrido habitual y se detuvo para vernos, para escuchar a Zurama que decía Más rápido, coño, y el vigilante dio media vuelta y se perdió en la esquina como perseguido por mil demonios, pero los demonios ahora estaban encima de Zurama y le bajaban por el cuello y le mordían y se le paraban en la punta de los pezones y se le dejaban caer por el arco de la espalda y fisgoneaban entre sus nalgas y bailaban una danza ardorosa y brutal en su vagina y la confundían y la reencontraban porque ella comenzó a sentir que se perdía, que se moría y era que se venía dulcemente sobre Albert Albert y empezó a llorar y a reír al mismo tiempo con los ojos cerrados y después sólo a llorar, carajo, qué era esto que la volvía loca, mientras se echaba el pelo hacia atrás y me miraba turbiamente.

Querido lector: seré breve. Albert Albert dejó a Zurama en la esquina de su casa y regresó por la zona más alumbrada al cosquilleo nervioso del centro de la ciudad. Se sentía libre de aquel estado consciente en que lo había sumido la contemplación de su propia miseria, y dispuesto a enfrentar la mediocridad y la abulia, los posters consagratorios colocados en las esquinas, la existencia no soñada de otra realidad.

Esta historia no termina aquí gracias al azar concurrente. En el parque Céspedes Albert Albert encontró a Berena, que hurgaba con su aire tosco de animalito en la estatua del ángel con la prótesis, ensombrecida por su ominosa soledad. No preguntó por Zurama y aunque al verme no habló, percibí que ella necesitaba reconocerse en un perfil que le hiciera al [95] menos pasable el resto de la madrugada. Estaba dispuesta a esperar el amanecer, a descubrir cómo la luz cambiaba las tonalidades de las hojas y las ventanas cerradas del hotel Casa Granda, en las habitaciones del amor, y de los líquenes que crecían en las vetustas piedras y balcones de la casa de Diego Velázquez, el Adelantado. Sin darse cuenta, o pasándolo por alto, recostó su cabeza en mi brazo apoyado en el respaldar de enrejados metálicos y dejó que la besara, sin responder al principio, como si estuviera lejos, en el recuerdo traumático de su padre, pero fue separando los labios poco a poco y me entregó su lengua enredada en el sabor a menta. Perturbado, supe que esa noche no me sería tan fácil librarme de los fantasmas eróticos y la fui levantando y la hice moverse despacio y la sentía frágil y dócil, como si camináramos por el vacío (Adán y Eva convertidos en polvo, en sombra, en nada), hasta que ineludiblemente caímos bajo las paredes inabarcables de

El muro de las lamentaciones
(parte II, El regreso)

Y parecía que nunca me había movido de la callejuela apartada frente al Conservatorio envuelto en la oscuridad unánime, con las luces del puerto titilando a lo lejos y las paredes que poseían toda la memoria de las cosas triviales o eternas que parecían barridas de la faz citadina. Por eso decidí voltear a Berena, ponerla con las manos y la cara contra el muro y perderme para siempre a través de su vestido en el campo de flores y confundir los girasoles con sus senos, las azucenas con los pezones, antes de percibir un sonido que se iba conformando lentamente desde el Conservatorio, desbordando la acera de enfrente, esparciéndose y alcanzándonos, convirtiéndose en una obertura de

Stravinski que coincidía con el movimiento de apertura de la verga bergante de Albert Albert sobre el círculo de cobre de Berena, para darme la certeza grandiosa de que penetrar a una mujer es también atravesar el espejo de Carroll y comprender definitivamente que la música compleja de Stravinski se levantaría por encima del primer grito doloroso de Berena y se instalaría en tejados y árboles, en los parques y las campanas, y se consagraría en la primavera, y se extendería hasta el santuario de El Cobre para que el pueblo despertase y buscara en cualquier sitio de la ciudad aquel llamado que les herviría en la sangre, mientras Berena comenzaba a perderme por hondonadas y falsos caminos en su campo de flores, por cañadas y saltos de agua, y sus nalgas tatuaban en el fecundo falo follador de Albert Albert, con movimientos seguros y frenéticos, el signo del infinito matemático. Y pudo concluirlo cuando la luz grisácea del amanecer nos encontró, a Berena con las manos y los pies arañando la pared y el vestido de flores subido por encima de las nalgas, y a mí dolido y tumefacto y todavía soñando con los olores, ruidos y ritos, todavía en la otra dimensión, sin saber, como me diría Marcos después, que había encontrado un Aleph erótico, un punto donde convergen todos los puntos, una puerta, un boquete, por donde confluían todos los festines y los lunares en el cuerpo blanco y parejo de Zurama y las tetas gansteriles y el movimiento telúrico de las nalgas de Berena. Estaba allí, sin palabras, como si me hubieran devuelto al tren, en el camino de Santiago, y recordase oscuramente una discusión ridícula con Nuestra Heroína, y viera a la muchacha negra subir al vagón, antes de que iniciara su raro y suave vaivén, sin advertirlo y con los ojos cerrados.

rogelio riverón

Vincent
Van Lezama

1no

En L'isola del giorno prima Umberto Eco deja una frase para mí, piensa el enano, bellamente egocéntrico. *Digo para mí, el protagonista, no el autor de este cuento, prepotente como todos. La frase es esta:* era como tratar de oca a un cisne *y simboliza como ninguna el menosprecio que padecemos algunos artistas.*

No sé si hayan prestado atención a este detalle, explica después a un auditorio imaginario, soñando con la conferencia de prensa que ofrecerá cuando llegue a famoso: *casi todos los enanos que se ven son adultos. Salvo en la literatura, donde aparecen como proféticos y circunspectos, los enanos damos la impresión de haber venido al mundo ya hechos. Dios nos prescribe una adultez casi mística y una fama de soberbios, igual que a los cojos. Nadie estima, sin embargo, nuestra pericia intelectual, porque para pelearnos un sitio nos falta el arresto, digamos, de los homosexuales.*

Días después, entre el bullicio fatigoso de una feria del libro, el enano descubre una edición alemana de

Paradiso. No puede sustraerse a la tentación de tomar el hermoso ejemplar, abrirlo y, como ignora la tersura de aquella lengua, olerlo al menos. Después lo separa de sí, para mejor admirarlo, y casi recita: *Si Lezama lo supiera...* El encuentro con la novela más llevada y traída de toda Cuba lo obliga a una melancolía vaporosa, a un repentino lamentarse, pensando en que Lezama a fin de cuentas pudo burlarse de censuras y traspiés y que, si bien obró su coronación indiscutible desde la muerte, el triunfo de sus libros le otorga otro tipo de vida, una tregua mayor en ese barranco que es el olvido. El enano en cambio no ha sido publicado más que en una ocasión, y censurado, jamás. Se sabe –exagerando poco– un gran artista. Tiene para nombrarse una frase que de vez en vez le cede en préstamo a su amigo Roberto Zurbano. Es, asegura, un proletario de la imagen. Claro que ya sabe sobre el atractivo de la censura. Prohibir una obra es en realidad una forma expedita de hacerle propaganda, pero a él, no lo olviden, nadie piensa en censurarlo.

do2

Su mujer –opina el enano– tiene un cuerpo renacentista, un olor a lluvia sobre piel de guayaba y la costumbre de que le hagan el amor al mediodía. Le place acomodarse sobre las piernas del marido y tomar su miembro (ella le dice *el lanzallamas*) como si fuera la porra de un policía. Después lo manipula fingiendo que comenzará a golpear con él a izquierdas y derechas. A veces lo observa a la distancia, igual que hizo el enano con la novela de Lezama. Permanece silenciosa y se pregunta qué fórmula o qué genética les ha dado a los enanos ese poder en la entrepierna. Tras la venturosa contemplación el enano invariablemente le pide que se acerque al lanzallamas y le hable, que lo muerda y le demuestre que es tan hembra como para

[99]

intentar tragárselo. Ella le recuerda que es mujer y más, que sabe rugir, curvarse como nadie para recibir la inspección del lanzallamas que repta por todo su cuerpo, se mete entre los senos donde el enano amenaza con dejar el primer semen, pero al rato sale y pasea por los sobacos, por la cara de ella que saca la lengua y lo pincha, le habla en efecto como a un totem, como al brujo que sabe curarle las ganas, y comienza a engullirlo con los ojos cerrados y una expresión de niña mustia, de niña de Guatemala.

Esa vez, durante el primer respiro, el enano le confiesa a su donna lo que ha visto en la feria del libro. *Era* Paradiso –se emociona– *una edición deliciosa, con una cubierta incandescente, como recién sacada del horno.* Después prende un fósforo y traslada el fuego al pico de su cigarrillo. Se coloca bocarriba y la mujer posa la cabeza en su pecho.

—No me acuerdo de ese libro –admite.

—Cómo no, –explica el enano– si hace poco te leí una parte, el capítulo ocho.

—Ah, –recuerda ella– aquel que, según tú, extirparon de alguna edición.

—Sí, –el enano conviene– ese.

—A mí no me gustó. Al final resulta que lo más importante son los maricones –declara la donna y acaricia los pies del enano.

Después corre la mano hacia arriba y tropieza con el lanzallamas. *Parece que tuviera tres piernas,* piensa regocijada.

Tras geométrica pausa, habla el enano:

—¿Te das cuenta de cuál es el alcance de la censura? Tú misma condenas al Maestro porque te parece indecente, pero ignoras el misterio que ese capítulo, tras haber sido confinado, ofrece a su novela.

—No sé, –dice ella– pero si ese maestro tuyo tratara a los enanos como a las gansas, no estarías tan orgulloso de él.

Hay una grandeza en burlarse de uno mismo, susurra el enano y permanece tranquilo, en la evocación de Lezama. Mientras la donna prueba a despertar las resonancias de su animal aletargado, él repasa con esperanzada comezón una lista de escritores alguna vez súbditos de la censura. Su mente los menciona y él les entrega el homenaje de su envidia, convencido de que, si le prestaran esa dicha, también llegaría a famoso. Juega la mujer con la estatuilla perezosa y él sale de Lezama para entrar en Piñera, en Bruno, en Cyrano, en Rabelais, en Marx, en el Vargas Llosa de *La ciudad y los perros,* en Orwell, en Kafka, en Solzhenitzin, en Lin Yu Tang, en Rushdie, en Bulgakov, en Arthur Miller. *Tengo que lograr que me vigilen, que prohiban mis libros, que los mutilen por lo menos,* piensa emocionado y desemboca, por una lógica del resguardo poético, en la imagen de Van Gogh muerto de hambre y de locura sólo para que sus torrenciales girasoles y sus autorretratos dementes comiencen a venderse como si fueran oro. El enano confía en la trascendencia y admitiría ser su hidalgo a posteriori. Se conformaría, para ser exacto, con acechar a los clásicos, no a los omnipresentes, sino tan solo a los de su país. Añora una obra que les de el alerta, una novela de inapresables vestigios, operática, con palabras como claves para los infidentes. Allí, en ese disfraz de la desnudez, en esa sencillez ecuacional, prende con facilidad el equívoco. Con suerte, la obra se vuelve sospecha, evidencia, comidilla en las actualidades de la farándula. *Clásicos nacionales,* dice para sí, *en guardia. Vivos o muertos, deberán hacerme un lugarcito.*

tr3s

Si tal como busca el enano, un ceñudo *voyeur* político hubiera estado pendiente de su puerta, lo habría visto partir, pasada la plenitud del mediodía, a encontrarse con su discípulo. Pero sale en el anonimato de costumbre y se detiene un segundo frente al balcón donde la mujer rezonga porque él se negó a azuzarla otra vez con el lanzallamas. *Adiós*, le dice, *no demoro*. La donna arrecia en la protesta y le hace saber que sospecha de ese discípulo al que nunca ha visto. *Boba*, le dice él, *si vive ahí mismo, debes habértelo tropezado más de una vez*, y se bambolea rumbo a la calzada. Por los portales avinagrados, entre la gente y los ruidos, se pone a mirar las columnas y comprende que, para comulgar con el júbilo habanero de Alejo Carpentier, hubiera debido andar la acera y observar más bien las columnas de enfrente. El acicalamiento de aquellos pilares otrora gallardos, piensa, tiene una intención anterior, invita a fiesta sólo a quien mira las fachadas. *La Habana de Lezama es, por lo tanto, más esencial*, deduce, *siendo menos descriptiva, nos coloca de plano en un ambiente del que resulta difícil recuperarse*. Anda todavía con aquellos retozos impresionistas, cuando escucha su nombre y se detiene. Entonces reconoce al discípulo.

—Qué tal, maestro.

—Casualidad precisa, –responde el enano– voy camino a tu casa.

—Venga, venga, –lo anima el pupilo– salí a conseguir algún té para solemnizar la sesión de hoy.

—¿No será que olvidaste la cita? –reprocha el enano. Mira que hoy hablaremos sobre el más allá del Arte.

—Perfecto, maestro –exclama el adolescente abriendo la puerta–, pase usted.

El enano penetra en la casa y, rumbo al sillón que le reserva el discípulo, ataca:

—¿Qué es para ti un clásico?

El joven se queda pensando. Después se acerca al librero y toma un libro pequeño, de portada roja. Dice:

—Esto me ha hecho pensar en todo ese problema de la trascendencia.

El enano, que no acaba de reconocer el libro, salta del sillón y se acerca.

—¿Qué es eso? –inquiere.

—Una noveleta –explica el adolescente– ochenta páginas apenas y me ha dejado intrigado.

El enano coge el libro. *Mujer, Mujer,* lee y hace un gesto de desaprobación. Seguidamente aconseja:

—No se puede leer todo lo que aparece. Yo, por ejemplo, uso a mi mujer como otros a un gato para saber si es tóxico lo que piensan comer. Libro del que no me fío, lo lee ella primero y, aunque no le tengo gran confianza, decido por sus impresiones si debo emprenderla con él.

—Pues mire –confiesa el pupilo– que a mí *Mujer, Mujer* me ha servido de mucho. Será porque a mi edad se lee sin prejuicios.

Prejuicios, mierda, piensa el enano, quien está convencido de que una generación literaria debe ponerse en guardia contra su descendencia. *Sospechar de los que te suceden: no leerlos sino para criticarlos,* añade. Seguidamente mira al alumno desde su autoridad y le advierte:

—Aún no tengo tu definición de clásico.

El adolescente se le acerca y, con una venia, lo despoja de la noveleta. Diserta:

—Este libro me ha puesto a dudar de todo lo imperecedero. Dice, entre otras verdades, que eso de la trascendencia es apenas un aplazamiento. Desde que lo leí he comenzado a preguntarme cuánto dura la posteridad (El enano regresa al sillón, trepa y se acomoda). Más atinado parece conceder a cada época sus plazas para clásicos, aunque siempre ha de haber más pretensiosos que tipos que satisfagan todos los requisitos (Sonríe el enano, mira al pupilo, burlón). La cuestión estaría en saber si por ejemplo, Cervantes es ya un paradigma para siempre jamás (El enano está

[103]

serio, se rasca la frente). ¿No vendrá un tiempo arrasador en que nadie se acuerde de Grecia? –concluye el adolescente y el maestro se tira del sillón, lo persigue con ojos de verdugo y lo llama fanfarrón, soberbio, analfabeto.

Pasa unos diez minutos explicándole que quien sea capaz de tocar a las puertas de la historia del arte está inmunizado contra los olvidos. Por más dados a las revalorizaciones que sean algunos, su nombre será imborrable. Incluso si ya nadie la leyera (como parece ser) la *Eneida* sigue ahí, como una sombra que apuntala, asevera y, sin escuchar la riposta del muchacho que estima que su visión es demasiado estática, pues confunde lo establecido con lo eterno, vuelve a mencionar a Van Gogh. El enano no es ambicioso. Mejor dicho: ambiciona ser inmortal, no millonario. Por eso lo fascina el desorejado y se le perfila como sucesor, aunque desde las letras. Si alguien pudiera asegurarle un poco de brillo póstumo, estaría satisfecho. Es más, sueña dejar, como Van Gogh y Lezama, una obra que haga palidecer a los enemigos y relamerse a los admiradores. Y lo que a otros se les dio casualmente, puntualiza, él lo pondrá en práctica con todo propósito: pronto ha de ser censurado.

Se asombra el pupilo. ¿*Censurado?*, pregunta y argumenta que, si no ha entendido mal, la censura es todo lo contrario de la fama. *A primera vista*, sonríe el maestro, *a primera vista. Si eres ducho en maniobrar con tu censura, la oralidad te tenderá una mano. Cuando Cuba –con algún riesgo de tu parte, también la Hispanidad– sepa que se han abalanzado contra tu libro, comenzará a correr un humor subterráneo muy pernicioso para los ambientes oficiales y enseguida vendrán a proponerte una revisión, un entendimiento. Esa es una de las puertas de la historia, hijo mío; a la edición cubana, que se agotará en unos días, sucederán las de Lumen, Planeta, Simon & Schuster.*

El pupilo se ha quedado pensando, después suspira y le cuenta al maestro que hace poco tuvo líos con un cuento. El enano se le acerca, se interesa en detalles y él especifica: días atrás lo leyó en la Casa de Cultura y algunos asintieron, elogiaron, pero un desconocido habló de implicaciones, y estaba muy serio. El maestro calla, con la sonrisa que esboza después irrumpe muy a su disgusto un poco de admiración por el adolescente. Le pide ver el cuento, pero el pupilo se disculpa: aún quisiera retocarlo, de todo lo que se dijo en la lectura ha decidido acatar dos o tres ideas. *Pero aquí está, a mano para leérselo pronto,* asevera y deposita el pliego sobre la mesa de escribir.

—Pues vendré pasado mañana para que me lo leas –dice el enano.

El alumno lo mira, riposta apenado:

—Pasado mañana no, maestro, que tengo visita.

—¿Alguna sabrosa ninfa?

Sonríe el discípulo, graciosamente envanecido.

cu4tro

La donna ruge, tiene los ojos cerrados, las piernas abiertas y tiembla. El enano aferra el lanzallamas con ambas manos y se coloca en posición. La donna abre los ojos y se afirma en la delicia de reconstruir algo que todavía no ha pasado, pero que ella sabe de memoria. El enano se acerca, imprime un movimiento oscilatorio al animal y la donna desespera. *Fuego, fuego,* pide y el enano embiste, la ensarta y mientras saborea sus quejidos comprende que es la decisión que ha tomado lo que lo enerva a tal extremo. El vaivén del émbolo hace que la mujer pierda totalmente los estribos y se muerda los labios y lo insulte halagadoramente. *Fuego, fuego,* insiste ahora, ya sin voz, y el enano se desboca, suelta la andanada y se va quedando quieto.

Satisfecha, la donna insiste en conocer qué bicho lo ha picado hoy, por qué le ha hecho el amor como si fuera la primera vez, con la potencia de un equino. *Nada*, desestima él, *es que me siento bien.*

La donna se levanta, asperge su desnudez por el cuarto, va al baño y orina con la puerta abierta, no se seca, prefiere sacudirse con una contorsión de las caderas, como una blasfemia incitadora. El enano la ve, sonríe, disimula. Cuando la tiene otra vez al lado se pone a hablar del futuro. Evoca su único libro publicado, se detiene en algunos méritos puntuales de esa obra que inicia en la literatura cubana otro modo de tratar su contexto, pondera una gacetilla que a su vez lo pondera en la mejor revista del país, y no comprende por qué la donna permanece apocada, a punto de trasponer el sí mismo del aburrimiento. ¿Le confesará el secreto, la intención, la necesidad de aparecerse en casa del pupilo y tomar el cuento que puede impulsarlo hacia la fama, por esa virtual condición censurable? *Ella no está preparada para comprender estas cosas*, se dice y opta por advertirle vagamente sobre su triunfo cercano.

—Voy a publicar un cuento que será un escándalo-anuncia.

La mujer lo mira. Contradice:

—Hace años que ensayas para cuando tengas que hacer de consagrado.

—Pues ya está al levantarse el telón, –ríe el enano-esta vez me censurarán sin falta. Los propios verdugos bruñendo mi corona...

—Si es tan escandaloso como anuncias, dudo que alguien se atreva a aceptar ese cuento.

—La cosa está en eso –explica el enano. Si lo rechazan por blasfemo, no por malo, se sabrá enseguida. Entonces quedará como un fantasma danzando en el sueño de los funcionarios, como bailó *La novela teatral*, de Bulgakov, en la conciencia de Stalin.

—Total, si no lo publican nadie sabrá de qué se trata —afirma la donna.

—Lo prohibido es curioso —sentencia el enano—. ¿Dudas que todo el mundo conozca, por ejemplo *Locus solus o el retrato de Dorian Gay?*

—No sabía que hubiera algo con ese título.

—Ya lo saben; —dice el enano— tú y el que nos esté leyendo. Apuesto a que ahora tratarán de averiguar en qué consiste ese cuento.

—¿Con el tuyo pasará igual?

—Igual —afirma él—. Además, puedo mandarlo a un concurso. Los jurados tienen más arrojo que los editores. Dan el premio y ya. Nadie les pide cuentas. El que acepta un jurado acepta de antemano una opinión que no es la suya.

La mujer se incorpora, comienza a vestirse. Razona:

—Todo eso está bien, pero yo creo que exageras. No me parece que haya tanta censura por ahí.

—No es que haya, es que está, —dice el enano— aunque no actúe. Es una rara forma del equilibrio, un componente del sistema literario, pasivo o no. A veces, por supuesto, se desboca, sale de revoluciones y entonces, mientras unos se lamentan, otros lo celebramos. Esa es mi táctica, la del río revuelto. Pero la censura siempre está a punto de activarse, como los sensores térmicos. Este propio cuento, tan real, tan plano, sobre enanos y artistas, pudiera ser vetado, su autor llamado incisivo, tramposo, aunque reconozco que él tiene esa potestad. El que escribe puede ser demagógico, el que es escrito no.

Ironiza la donna:

—¿Cuál es tu caso?

—El mío es dual, —plantea el enano— cuando me escriben soy manso como un preso, porque la cacareada autonomía del personaje literario depende de la lucidez de quien lo traza. Eso de que este obra a su

[108]   antojo es una justificación para la falta de previsión al
concebirlo. Hay demasiados escritores indecisos que leen
mal las posibilidades de sus personajes y dicen después
que los han engañado. Como creador, en cambio, sé que
soy omnipotente. Mi pluma es el barro iniciático, la cos-
tilla adánica. Lo curioso es que los censores también lo
saben y tratan de oponérseme. Para ellos cualquier cosa
puede ser un exceso, un mal ejemplo. De eso pretendo
valerme para llegar a clásico.

5inco

Como la donna no piensa emocionarse con su coronación inminente, el enano decide estimularla. Esti-
mularse ambos, debiera escribirse, pues lo que hace
es buscar un billete de veinte y pedirle que vaya por
una botella de ron. Protesta ella, *no deseo ir a la calle*,
pero se va dejando convencer. El enano la acaricia,
impulsa la mano del ombligo a los senos y se dice
que, tras un buen ronazo, bien pudiera volver a so-
meterla al fuego de su lanzallamas. La donna adivina lo que piensa el marido, pero ahora ya no quiere
guerra. *Mejor aprovecho el aire de allá afuera*, decide y
abre la puerta, se alegra con el bullicio que la recibe,
se deja sobar las nalgas de mala gana, apretar los
muslos por el enano que la despide, poético: *Vaya mi
pájaro preso/ a buscarme arena fina.*
    —Qué fastidio –dice ella y sale.
    El enano va a tirarse a la cama. Se queda miran-
do al techo y hace rodar por la madera encalada
exquisitas escenas de su triunfo cercano. *Soy un proletario de la imagen,* pronuncia y se ríe, convencido
de que hurtar el cuento del pupilo es un acto de
justicia consigo mismo. *Al fin y al cabo, ¿cuánto de
mis enseñanzas no habrá en él?,* agrega y se felicita
por lo que pronto ejecutará.

Al rato se da cuenta de que la donna no ha vuelto. El ron lo venden a dos cuadras, así que no se explica la tardanza. Se levanta y sale al balcón, sube a un pedestal de ladrillos que se hizo para sobrepasar el borde de la barandilla, y otea el horizonte cruzado por voces y latigazos de polvo. Como no descubre a la mujer, decide bajar. Llega hasta la tienda y pregunta: hace días que no tienen bebida.

El enano supone que la donna trata de conseguir el ron en otra parte. Sigue hasta la calzada, pensando en llegarse hasta la tienda más cercana, donde posiblemente la encuentre. Va despacio, mirando a las mujeres que se le cruzan e imaginando que vienen desnudas, cuando se da cuenta de que está frente a la puerta de su pupilo. Entonces se le ocurre llamar, quizás si el adolescente se descuida pueda llevarse el cuento. La mujer que espere: después de tanto demorarse con el ron, ha perdido el deseo de emborracharse. Antes de golpear la puerta, quiere mirar por la ventana: *una inspección al terreno nunca está de sobra*, sentencia.

Mete un pie en el hueco de la reja y se empina. La sala está vacía, pero hacia el fondo de la casa trepida una voz. Al momento se ve al pupilo venir rumbo a la sala, gesticulando molesto. El enano se deja caer y toca a la puerta. Aparece el joven, *qué tal, maestro, no lo esperaba*, y le hace camino de mal grado. Con mirada traviesa, el enano trepa a su sillón y le pregunta:

—¿Tienes visita?

—No, –responde el pupilo– estoy solo.

El maestro ha decidido divertirse. Comprende que el joven mantiene oculta a una ninfa y se promete que no se irá sin conocerla.

—A tu edad yo nunca estaba solo –le dice malicioso.

El otro no sabe ripostar. Tampoco disimula el malestar que lo hace ir de un lado a otro, hasta quedar anclado frente a la ventana. El enano quiere ser más

[109]

agresivo, encuentra no sabe qué placer en el engo-
rro de su alumno y busca tensar el dramatismo de
la situación.

—Necesito ir al baño –declara y salta al suelo.

El pupilo se alarma, abre la boca, pero él lo ataja:

—No te preocupes, ya conozco esta casa.

Sin darle tiempo a moverse, enfila el pasillo, pasa
frente al baño y sigue hasta el cuarto, imaginando que,
si a la suerte se le antoja, incluso podrá encontrar a la
ninfa desnuda, ahora en la realidad y no en su mente,
como las mujeres de la calzada. No está desnuda, pero
en cambio le tiene una sorpresa: es la donna.

El enano se ha quedado sin voz. Después se va re-
cuperando poco a poco, mientras la mujer lo mira,
resignada y valiente. *Conque así es la cosa*, murmura y
da inicio a una cadena de insultos de la que, curiosa-
mente, se hace objeto a sí mismo. *Eso me pasa por creer
en hetairas*, bufa y se le encima, pero la mujer ha levantado un madero. *Si te acercas te mato, maricón*,
asegura. El enano desestima la tabla y salta hacia ella,
la toma por el cuello y la acorrala en un rincón. La
donna aúlla, le pide al pupilo que acabe de aparecer,
que la defienda, pero el enano se ríe, la golpea, declara que se caga en el pupilo y que para puticas ya
tiene con ella. Se dispone a golpearla nuevamente
cuando llega el pupilo, la mujer lo insulta, *cobarde,
por tu culpa me están matando*, llora y logra safarse
del enano, se lanza hacia la tabla que ha ido a parar
al otro extremo del cuarto, logra apoderarse de ella y
se la pasa al pupilo.

—Despíngalo, despíngalo –clama la donna.

Enana sucia, dice el enano, *sinvergüenza*, y se encara
con el joven, que levanta la tabla, pero no se atreve a
golpear. La enana entonces grita, se sube a la cama y
salta hacia el marido que la ve, la espera y, de un puñetazo la deja tendida. Después va rumbo al pupilo

que se deja caer al suelo y se cubre la cabeza con los brazos. *Puercos de porra*, dice el enano y sale del cuarto, se va por el pasillo, llega a la puerta y, a punto de salir, recuerda algo, regresa, escarba en los papeles del alumno y toma el cuento.

—No digo yo si me hago famoso –mascula.

ronaldo menéndez plascencia

Carne

Bill

Vamos a robarnos una vaca.

Cirilo Ojo Tuerto y yo.

Somos dos, aunque deberíamos ser tres o cuatro. Cirilo va delante, desgarbado bajo una luna lechosa que le dicta el paso seguro sobre el trillo. Él sabe, por eso me dijo que con nosotros dos bastaba, nada de una cuadrilla famélica para después empezar con el estira y encoge. Así toca a más.

Yo no, yo nunca lo he hecho. Pero ya se sabe, uno empieza por pensar en las cosas y termina siendo parte de ellas.

Mi mujer me hizo prometer que esta iba a ser la única vez. Me dijo: la ambición rompe el saco, con esta vez resolvemos para un buen rato, después vendrán tiempos mejores. Y yo le dije: y si no mejoran los tiempos lo vuelvo a hacer, así de vez en cuando no te cogen, el problema es cuando uno se envicia, como Cirilo que es un experto. Y ella me respondió: ¿y cómo crees tú que uno se envicia? Tú eres traductor de lenguas clásicas y crítico de Arte, no matarife. Lo haces esta vez, no lo haces más y punto. Y me cortó los argumentos.

Cirilo tiene muchos argumentos y un ojo tuerto que no es ningún argumento. Vive de esto, no sé si por vocación o por vicio, aunque en su escritorio aún cuelguen, como insignias de la desesperación, sus certificados de *Magister Ludi* y crítico de ballet. Es un profesional. Por eso voy con él. Me dijo: tú y yo nada más, tú vigilas y luego me ayudas a deshuesar.

Matar y deshuesar es lo más importante. Vigilar lo hace cualquiera. Hay que deshuesar y llevarse la carne limpia y roja, fresca, despellejada, maciza. Según tengo entendido, se empieza por los perniles para asegurar la mejor parte. Luego se despanza, y ahí es donde dicen que el animal se estremece porque le están sacando lo suyo. Dicen que los pulmones siguen respirando fuera de la vaca. Pero hay que despanzar, porque si no es muy incómodo limpiar las costillas, uno corre el riesgo de que se resbale el facón y pinche los intestinos, y entonces el animal empieza a defecarse por un costado, a temblar como una gelatina, y cuando la sangre se mezcla con lo otro toda la carne coge peste. De las costillas uno va subiendo hasta el lomo que hay que trabajarlo para que quede como el espinazo de un pescado, sacarle toda la carne que ahí es apretada como el cedro. Luego las paletas si da tiempo. El gaznate si da tiempo. Eso sí, le aclaré a Cirilo que yo no dejo atrás el corazón y el hígado, bastante proteína le hace falta a uno para desperdiciar el hígado que es pura sangre. Mi mujer lo cocinará el domingo con bastante vino seco y cebolla, en lascas y lascas y lascas. La salsa queda cuajada, las cebollas marchitas y algunas papas con sabor a carne. La carne se filetea, se muele, se deshilacha, se comprime en el refrigerador, se fríe en manteca de puerco, se contabiliza, se estira, se vende algún pedazo silencioso, se caga, se gasta pero queda adentro.

[113]

—Cómo va la cosa, Cirilo.
          Y él me responde muy bajito:
          —Ahí va, ahí va.

          Cirilo Ojo Tuerto
No me gusta esto. Es un trillo muy estrecho, y aunque no
ha llovido, constantemente uno tiene que caminar sobre
las ranas que duermen en los charcos. Nunca he operado
en esta zona, la ignoro, me pone nervioso. Pero hay que
cambiar de zona, porque cuando uno tumba un par de
reses en el mismo lugar la cosa se pone viciada, te esperan, te hacen una cama y ahí es donde te cogen. Luego
nadie te salva de veinte o treinta años a la sombra aunque
te vuelvas vegetariano, ecológico, verde con fotosíntesis
y todo. No comprendo eso de hacerse vegetariano, y menos por designio superior. A fin de cuentas uno se parece más a un tigre que a un Oso Panda. Coma carne:
millones de felinos, la *tigridad* misma no puede estar equi-
vocada. Aquí no hay siquiera bosques de bambú. Sólo
hierba de guinea que si uno no lleva puesto un pantalón
largo raja la piel; también el marabú con sus espinas de
una pulgada, opacas espinas que no se ven de noche,
pasan cualquier pantalón y luego se parten y avanzan
por la carne. Este lugar no me gusta. A veces una nube
compromete a la luna y uno deja de verse las palmas de
las manos, dejan de verse hasta las palabras de Bill:
          —Cómo va la cosa, Cirilo.
          Y yo le respondo taimado:
          —Ahí va, ahí va.
          Porque Bill es un buen muchacho, pero torpe. No
comprende que este sitio no me gusta, que hay mur-
ciélagos de ojos sin ojos, que hay charcos donde no ha
llovido, que hay ranas que se desinflan. Cuevas al borde del trillo que se tragan la poca luz. Serpientes de
pasos breves, de pasos evaporados.

—Cómo va la cosa, Cirilo.

—Cállate, Bill.

No comprende que cada palabra puede dispararse como una luz de bengala, y caerían sobre nosotros los tigres de bengala, los depredadores de depredadores que no sospechan estar equivocados. A veces, después de dar un paso a desnivel, se deja oír en la penumbra de nuestros sacos el tintinear de los fierros. Esto me pone aun más nervioso, pues parecen cascabeles de la fatalidad.

Bill

Ya llegamos. Cirilo lo advirtió hace unos minutos, me dijo:

—Se huele el estiércol.

Es un establo trapezoidal, inflamado de pequeñas montañas que son las vacas dormidas. De noche todas las vacas son negras, y es difícil buscar la vaca negra en el establo oscuro. Por eso pienso que debe ser pinta bajo la luna; además, Cirilo, con su ojo tuerto y su media voz, me dice:

—Las vacas negras dan mala suerte.

Nos movemos entre bosta y bosta como un comando operativo, esquivando las sombras y hablándonos con todo el cuerpo menos con la boca. Por fin Cirilo da con una. Me dice guiñando su media vista:

—Es blanquita, fíjate qué mansa.

Tiene un trozo de soga que parece una flema colgada del narigón, como si nos hubiese estado esperando. Hay que llevársela a un lugar seguro en el campo. Trabajar con tranquilidad para no darnos un tajo. Lo mejor es un claro entre el naranjal. Las naranjas son pompas de jabón bajo la luna. Traslucen como el matavacas de Cirilo Ojo Tuerto. Su matavacas es una estalactita de cristal. Por un momento todo se revuelve,

[115]

las naranjas son globos de luz que suben y bajan, los ojos de la novilla se confunden en blanco, también suben y bajan cuando Cirilo aplica el perfil de su matavacas a la piel del gaznate. Hay un surtidor, un mar tibio entre nuestras botas que se liga con el fango. Hay una vibración elemental y luego un estiramiento, y luego otro estiramiento y entonces aparece una impresión de silencio, como si hasta entonces hubiera durado una estridencia en aquel sitio. Cirilo se agacha y sin decir nada empieza por los perniles. Pero hay algo que se mueve, le digo:

—Cirilo, mejor deja que se muera como es debido.

Él me responde:

—Trabaja, Bill.

Y sigue desvistiendo la carne azul de los muslos. Pero en eso hay algo más que se mueve. No son las naranjas bajo la luna, tampoco la única pestaña de Cirilo, tampoco los muslos azules. Creo que nos sorprendieron.

Los Farmers

Los cogimos mansitos–mansitos. Robándose una vaca. Una vaca sagrada, una montaña de carne con ojos, una hamburguesa viva. Aunque ya no está viva. Los muy cabrones le dieron la puñalada, liberaron de un tajo su ánima del lastre bovino que la sometía. Y ahora el ánima debe estar en el paraíso de las vacas (todas las vacas son inocentes), o haciendo fila para reencarnar lo antes posible en algo profundo como un calamar o una ameba.

(A continuación se abre un paréntesis, pues el devenir fluye tan vertiginosamente que casi se vuelve inefable: Bill y Cirilo no creen lo que ven sus tres ojos y mucho menos lo que escuchan sus oídos: los cogimos mansitos–mansitos.... Se han materializado de la nada cuatro jinetes, como si fueran la encarnación al cuadrado del terror de los matarifes.

Es entonces que Cirilo Ojo Tuerto intuye lo impredecible y trata de huir, salta sobre el animal muerto, dice: Bill corre. Hay un atisbo de desesperación que corta uno de los jinetes con un solo disparo. No se sabría a dónde fue a parar la bala, ni siquiera si es una bala –pudiera ser un perdigón–, de no ser porque Cirilo alfilerea la oscuridad con un quejido que parece el de un murciélago. Algo, como un puntillazo, le ha pasado el muslo. Cae. Bill permanece a su lado de pie y esperando a los jinetes que ya están ahí. Vuelve a pensar: ahora sí que nos atraparon...)

Los Farmers

Ya estamos sobre ellos. Nos pregunta el desgraciado que está de pie y al que el miedo está a punto de tumbar: —¿Son Farmers o son policías?

—Somos los cuatro jinetes del Apocalipsis.

Reímos. No porque nos dé gracia, sino porque comeremos carne. Una vaca muerta, que no pudo ser robada, es una sábana de filetes sobre nuestras mesas. Uno de los gusanos se retuerce del dolor, parece que la bala lo tocó. Tendremos que ocuparnos de ellos cuanto antes. Cuando los levantamos y los atamos con la misma soga para conducirlos, están tan asustados que sus ojos parecen luciérnagas. Superamos el trillo sin hablar para no llamar la atención. El gusano herido va dando tumbos, lo cual nos preocupa, pues la maleza se hace eco de su andar desordenado. Alguien podría escucharnos y antojarse. Por fin repechamos el pequeño cerro y allí está el rancho.

Bill

Sin duda, son farmers, ya que nos han traído a un rancho. Ahora nos amarrarán hasta el amanecer y luego nos entregarán a la policía. Salen de veinte a treinta años [117]

[118] por esto. Cirilo Ojo Tuerto se podrá consagrar a lo suyo y yo continuaré rastreando por el resto de mis días los vestigios de la sintaxis etrusca en los diálogos de Platón.

Hay conciliábulo de farmers; el que parece liderear dice a otros dos:

—Ustedes vayan al cuartel y digan lo de siempre.

Entonces le pregunto:

—Y qué es lo de siempre, si se puede saber.

Me responde:

—Cómo no. Le informamos al oficial de guardia que encontramos otra vaca muerta y que los ladrones se dieron a la fuga. Siempre se nos escapan los ladrones. Al amanecer la policía vendrá, se llevará la vaca que como ustedes saben es intocable, y asunto concluido.

Alcanzo a decirle, emocionado:

—Quiere decir que no van a delatarnos.

—Por supuesto que no. Qué ganaríamos con eso. Aquí no se gana para nada, ni siquiera podemos comernos la vaca.

El farmer eleva la vista a las estrellas que son miles de lunares blancos en una piel negra, como evocando los tiempos inmemoriales en que la gente era dueña de sus vacas. Los encargados de dar parte a la policía se retiran, y los otros dos farmers desatan a Cirilo para dejarlo ir. Les digo:

—Hay que curarlo, no puede caminar en ese estado.

—Tranquilo, tranquilo.

Y empiezan a desnudarlo, luego lo observan. ¿Son rateros o son sodomitas?

—¡Dejen a ese hombre que está herido!

Se ponen a tocarlo. Primero los muslos, luego las nalgas.

—Tiene buenas nalgas –le dice uno al otro– y buenos muslos. El otro es más flaco.

Me miran. Dicen que yo soy más flaco.

—Así que mejor los deshuesamos, los fileteamos y repartimos la carne por peso parejo.

Antes de comprender lo que dicen, aparece un puñal de prestidigitador que desliga la yugular de Cirilo. Mientras se revuelve en el suelo, empiezan a desnudarme. Uno dice:

—Los huesos, como siempre, los enterramos en el patio –mira al fondo de mis ojos–, no es nada personal, en este lugar todos vivimos de esto. Una vaca muerta, que no pudo ser robada, es una sábana de filetes sobre nuestras mesas.

ena lucía portela

El viejo,
el asesino y yo

*Espero que no tenga usted nada que decir
en contra de la maldad, mi querido ingeniero.
En mi opinión, es el arma más resplandeciente de la razón
contra las potencias de las tinieblas y la fealdad.*
THOMAS MANN, La montaña mágica.

Es la noche y el viejo balconea. El aire golpea suavemente su rostro, que alguna vez fue hermoso. Todavía lo es, aunque las huellas del tiempo en su piel no sean las que suele dejar una existencia feliz. Está solo. Tanto, que al asomarse a la calle parece el hombre más solo del mundo.

Me deslizo hasta él sin hacer ruido. Me deslizo como una serpiente. Se percata. Me mira con el rabillo del ojo, procurando tal vez que no me aproxime demasiado, que no penetre en su aura. Lo mejor que se puede hacer con una serpiente es mantenerla a distancia, lo comprendo.

Aunque quizás no le importe. Suele afirmar que a su edad casi nada importa, conocer o desconocer, tomar champán o visitar a los amigos, nada. Le da muchas vueltas a eso de la edad, por momentos parece obsesionado, se burla de sí mismo. Que La Habana no es la de antes, los carros, los bares, los olores, la forma de vestir –el amor en La Habana tampoco es el de antes–, que ya no quiere hacer otra cosa demasiado distinta a mecerse en un sillón. Que los verdaderos amigos están muertos.

Nadie como él para instalarse en el pasado: justo donde no puedo alcanzarlo, donde él puede reinar y yo no existo. Cierro los ojos y extiendo las manos en busca del pasado, no puedo. Tu generación, mi generación, dice. Creo que se burla de sí mismo a manera de ejercicio retórico o quizá para evitar que alguien se le adelante. Un ceremonial apotropaico, un conjuro. Dice lo que imagina que otros podrían decir acerca de él, exagera y no queda más remedio que citarlo.

Me acerco más. El balcón es chico, la manga de su camisa me roza el hombro desnudo. Es más alto que yo, es un hombre alto que, aun sin llevarlo, parece haber nacido con un traje. Siempre me han gustado los hombres de traje: estadistas, financieros, escritores famosos. Patriarcas, próceres, fundadores de algo. Cuando se reúnen varios de ellos me parece asistir a un lugar de decisiones importantes, a una especie de asamblea constituyente.

El aire mueve diminutos fragmentos entre él y yo. Su espacio huele a lavanda, a lejanía, a país extranjero donde cada año cae nieve y los árboles se deshojan; huele a oscuridad cerrada y de elevado puntal, a mil novecientos cincuenta y tantos. Mediados de un siglo que no es el mío. Porque su época, según él, es la anterior a la caída del muro de Berlín; la mía es la siguiente. Todo cuanto escriba yo antes del XXI será una obra de juventud. Después, ya se verá. Creo que es una manera elegante de decir que estamos separados por un muro.

—¿En tu casa hay balcón?

[121]

No, pero sí una terraza con muchísimos cactos, cada uno en su maceta de barro o porcelana con dibujitos. Para el caso es lo mismo. No adoro los cactos, pero se dan fáciles. Proliferan entre el abandono y la tierra seca, arenosa, en mi versión reducida del desierto de Oklahoma. Algunos tienen flores, otros parecen cubiertos por una fina pelusa, pero hincan igual. Son las plantas más persistentes que conozco: aprendo de ellas.

—No, pero sí una terraza –si me pongo a hablarle de mis cactos, capaz que se vaya y me deje con la palabra en la boca.

Nunca lo ha hecho, Dios lo libre. Pero sé que puede hacerlo. Mejor dicho, que le gustaría poder hacerlo. No es grosero (fue educado en un colegio religioso y todavía se le nota, además, es cobarde), pero admira la grosería, la brutalidad deliberada como una forma de independencia de no sé cuántas ataduras, convenciones o algo así. Y no me imagino a mí misma sujetándolo por la manga de la camisa. Al menos por el momento...

Así son las cosas. Temo aburrirlo. De hecho, tengo la impresión de que lo aburro. ¿Qué podría contarle yo, que apenas he salido del cascarón? "Una joven promesa de la literatura cubana", es ridículo. ¡Él ha visto tanto! ¡Me lleva tantos años! ¡Lo repite tan a menudo! Un caballero medieval bien enfundado en su armadura, en su antigüedad. Temo al malentendido. Temo que escape justo en el momento de haber alcanzado su definición mejor... temo. Cada vez que lo veo me lleno de temores (y temblores) y aún así no puedo dejar de acercarme a él. No me lo explico. Es absurdo, soy absurda. Revoloteo alrededor del viejo como una mariposilla veleidosa.

Como de costumbre, hay mucha gente en la casa. Ruedan de un lado a otro, comentan, murmuran, toman ron. Parece una escena bajo el mar, dentro de una pecera, en cámara lenta. Moluscos.

Otras tardes y otras noches resultan más animadas que esta: discuten de literatura, hablan de gente que no está en la casa, se interrumpen unos a otros, se apasionan. El viejo ironiza, grita, se queda ronco, le dan palpitaciones y luego es el insomnio, el techo blanco. Se promete a sí mismo no volver a acalorarse y reincide. (Uno no escribe con teorías, me ha dicho hoy y no estoy de acuerdo, pienso que nada es desechable, que uno escribe con cualquier cosa, pero en fin.) No he estado presente en esos barullos que horripilan a los editores extranjeros. (No se pelean, es su forma de conversar, son cubanos –le ha dicho un mexicano a otro–.) Alguien me los describe. Siempre hay alguien para contarme punto por punto lo que ocurre. Menos mal, pienso.

Porque delante de mí sólo dicen banalidades, sin alzar la voz apenas, como articulando muy a propósito unos diálogos más insípidos que los del *Nouveau Roman* o el cine de Antonioni. La asepsia verbal, la sentencia descolorida, la incomunicación. El gran aburrimiento. El viejo se pone elegíaco y cuenta de sus viajes lo mismo que podría contar un turista cualquiera. Le ha dado la vuelta al mundo más de una vez, para cerciorarse, al parecer, de que todo lo que hay por ahí es muy tedioso. Habla de los epitafios que ha visto y planea el suyo. Confunde los detalles adrede. (Eso de que Esquilo participó en la batalla de Queronea no se lo cree ni él.) Cualquier originalidad, incluso la que resulte de una vasta erudición, podría resultar comprometedora a largo plazo y quizás antes. No se oyen nombres propios, ni siquiera los nombres de los muertos (sólo Esquilo, Byron, Lawrence de Arabia y gente así), ninguno suelta prenda. Se repliegan. Cierran filas. Actúan como conspiradores. En ocasiones, por provocar, hablo mal de alguien, de algún conocido en el

[124]   mundo de los vivos, y entonces todos se apresuran a defenderlo. "Es una impresión errónea", me dicen. O se callan todavía más. No hay manera. Como en un retrato de grupo, todos quieren quedar bien.

Sucede que tengo mala reputación. Yo, la peor de todas, en principio asumo el comportamiento de un analista o un padre confesor. Me aprovecho de las crisis existenciales, de las depresiones, de los arrebatos de cólera. De todo lo que generalmente las personas no pueden controlar, al menos en nuestro clima tan fogoso. Ofrezco confianza, complicidad, discreción, nunca advierto a mi interlocutor que cualquier palabra que pronuncie puede ser utilizada en su contra; regalo alguna de mis propias intimidades, la cual se trivializa en mi boca y al instante deja de serlo. De ese modo, dicho sea de paso, he llegado a tener muy pocas intimidades (lo que no quiero que se sepa no se lo digo a nadie y hasta procuro olvidarlo), mi techo no es de vidrio.

Insisto: A ver, cuéntame de tu infancia, ¿tu padre era tiránico, opresivo? ¿Te pegaba? ¿Era cruel, verdad? ¿Cómo lo hacía? Vamos, cuéntame todos tus pecados, ¿a quién quisieras matar? ¿A quién matas cada noche antes de dormir? ¿Y en sueños? ¿Cómo lo haces? Y las personas hablan, claro que sí. Les encanta hablar de sí mismas. Se desahogan, descargan, delegan sus culpas en mí. Entonces los absuelvo, les digo que no son malos, los reconcilio consigo mismos, los ayudo a recuperar la paz.

Como es de suponer, en realidad no adelantan nada. Qué van a adelantar. Simplemente se vuelven adictos a mí, a mi inefable tolerancia. Conmigo, qué suerte, se puede hablar de cualquier cosa. Sé escuchar. No interrumpo, no condeno. La atención es una droga. Olvidan que en verdad no soy analista ni padre confesor. Peligrosa amnesia que procuro cultivar. Ellos se proyectan en mí, discurren cada vez con mayor soltura hasta que sale a relucir algún material significativo. Mientras más profundo es el sitio de donde proviene, más notable, más escalofriante es la revelación.

He ahí el momento: con ese material significativo –y algunos otros elementos tan secretos como el contenido preciso de una nganga– escribo mis libros. Cuentos, relatos, novelas, siempre ficción. (Tal vez me gustaría escribir teatro, pero no sé por qué desconfío de los autores que incursionan a la vez en géneros distintos y hasta opuestos. Me he habituado a narrar.) Trabajo mucho, reviso y reviso cada frase, cada palabra. Reinvento, juego, asumo otras voces, muevo las sombras de un lado a otro como en un teatro de siluetas donde veinte manos delante de una vela pueden figurar un gallo, desdibujo algunos contornos, cambio nombres y fechas, pero, desde luego, los modelos siempre reconocen, en mis personajes y sus peripecias, sus propias imágenes. Que son sagradas, claro está. Qué falta de respeto.

Su ingenuidad resulta curiosa. No se percatan de que, al darse por enterados y poner el grito en el cielo, aportan a mis libros la imprescindible credibilidad que algunos lectores exigen y, de paso, me hacen tremenda propaganda –no hay nada como los trapos sucios para llamar la atención–. Gratis. Tampoco entienden que dentro de cien años nadie que me lea, si aún me leen (ojalá), los va a reconocer. Y si los reconocen, será porque de un modo u otro han accedido por lo menos a un trocito de gloria. No digo que debieran estar agradecidos; no digo que los rostros de los Médicis son aquellos que les inventó Miguel Ángel y no otros, porque la verdad es que suena demasiado soberbio, justo el tipo de cosa que se me ocurre que no debo decirle a *nadie*.

Los lectores ajenos a los círculos literarios –son esos los que más me gustan– se asombran de mi desbordante y pervertida imaginación: ¿Cómo es posible crear [125]

[126] tantos y tales monstruos? ¿De dónde salen? Si supieran... Creo que algunos ya andan investigando por ahí.

Los escandalitos van y vienen; me acusan a la vez de oficialista y de disidente de un montón de causas; como tienden a hacer de todo una cuestión política, según las filias y las fobias de cada uno, me ponen lo mismo en la extrema izquierda que en la extrema derecha. Lo que sea, ¿acaso el dominico Fra Angélico no pintó a los franciscanos en el infierno? Bien pudo ser al revés. Me atribuyen unas ideas sobre el ser humano y eso, que ni siquiera comprendo muy bien, pues no acostumbro a pensar en términos de semejante envergadura –más que la especie, me interesan los individuos y, sobre todo, los individuos que me rodean–. Me acusan de falta de creatividad, de resentida y envidiosa; intentan bloquear mis relaciones de negocios –de vez en cuando lo logran: un simple comentario delante de eso que llamo "el lector poderoso" puede resultar demoledor–; recibo amenazas por teléfono, a mi oficina en la editorial llegan constantemente anónimos plagados de injurias firmados por "La Espátula" y "La Mano Que Coge", me echan brujerías de todo tipo, en fin, lo de siempre.

A pesar de que en las "entrevistas" nunca uso grabadora (mi memoria para estos asuntos es excelente, puedo recordar durante años un dato al parecer insignificante), ninguno de mis modelos ha intentado hasta el momento desmentirme por escrito. No importaría si lo hicieran: mis versiones son más dignas de crédito en virtud del aforismo maquiavélico que dice "piensa mal y acertarás". Lo esencial es que nadie se atreve a demandarme, porque las zonas más truculentas de esas historias, las zonas más envenenadas y denigrantes, no las escribo, no les doy curso. Me las reservo como garantía, como la última bala en el tambor. Eso se llama chantaje y es eficaz.

Sé que un día me van a asesinar y a veces me pregunto quién, cuál el último rostro que me será dado ver.

Pero esta noche es especial. No persigo los crímenes recónditos ni los alucinantes fraudes o las traiciones o los pequeños actos mezquinos que pueblan la historia universal de la infamia. No provoco. Descanso. La inquietante proximidad del viejo de alguna manera me hace feliz. Siento la mirada fija de su amante clavada en mi espalda y eso me complace más. Me impide soñar que las cosas son diferentes. Ese muchacho no podrá concentrarse hoy en el vaso de ron ni en la conversación deshilachada que sostienen los demás ahí dentro. No podrá.

—Después de la segunda botella te pones insoportable –ha sentenciado el viejo.

Desde el balcón se divisa una callejuela tranquila. Estrecha, sucia hasta en la oscuridad, con el pavimento roto y charcos y fanguizales por todas partes. Como si se hubiese decretado un toque de queda, hoy ni los vecinos quieren alborotar. Del fondo de la casa llegan los boleros de siempre y un ligero ruido ambiental de cristales que chocan, fósforos que se encienden y crepitan, susurros similares al del océano que habita en los caracoles, risitas fúnebres. El gato se frota contra el viejo, se enreda a sus pies en un ovillo peludo. El viejo baja la vista, advierte que sólo es un gato y lo deja hacer.

El fresco nocturno me rescata un poco de los furores de nuestro septiembre ardiente, mientras el ron, incitante y áspero, me acaricia por dentro. Pienso en Amelia. Los viernes, de cinco a siete, en la habitación de los altos de su taller. Divina. Ella no habla casi porque hablar –afirma– le provoca dolor de cabeza y porque de todos modos –sonríe lánguida– no tiene mucho que decir. Al menos no con palabras. Pienso que la amo.

[127]

Por allá dentro flota una voz apagada, casi anónima entre las otras voces: *Recuerdas tú, aquella tarde gris en el balcón aquel, donde te conocí...* Puede ser el bolero que ya pasó o el que está por venir. El mismo que oigo, a retazos, durante toda la noche.

El muchacho, lo presiento, trata de llamar la atención como si tuviera que recobrar algo, como si hubiese algo por recobrar. Sube el volumen. Está loco, febrilmente loco por el viejo y eso se entiende. Aunque podría hacerlo, no se acerca a nosotros.

—Él dice que tú le coqueteas —me ha advertido con el entrecejo fruncido como si dudara entre la risa y el enojo–. Ten cuidado.

—¿Y qué piensa? –he preguntado supongo que ansiosa–. ¿Le gusta? ¿Le gusto?

—No sé –de pronto ha gritado–. ¡No sé!

—¿Qué crees tú? –he insistido casi con ternura–. Tú lo conoces mucho mejor que yo. Bueno, en realidad yo no lo conozco nada. ¿Qué crees tú?

—Yo no creo nada –su voz ha sonado tensa, cargada de lúgubres premoniciones–. Tú te volviste loca. Loca de remate. Vas a sufrir...

—¿Igual que tú?

Ha vuelto a mirarme fijo y sus ojos grises parecen dos punzones de acero. Susurra:

—Yo te mato, ¿entiendes? Yo te mato.

He acariciado su mejilla hirsuta resbalando desde la sien hasta el mentón (tiene un hoyito, como Kirk Douglas) y allí mis dedos se han detenido en una imitación casi natural de las figuras de cierta cerámica griega muy antigua. En la vasija original, tan auténtica como la página de un libro, aparecían dos muchachas. Fondo rojizo, siluetas negras. Una acariciaba la mejilla de la otra de esa misma manera y el pie de grabado aseguraba que se trataba de un gesto típicamente homosexual. Mira, mira...

He tocado su frente y no ha hecho nada por impedirlo. Ni siquiera se ha movido. Arde en fiebre.

—Eres una puta.

Es interesante que me considere un rival, pienso, aunque sólo sea por instantes y después se diga que no, que no hay peligro. El mundo pertenece a los hombres y todavía más a ciertos hombres, ya lo dijo Platón. ¿Una mujer? Bah.

Pienso en Amelia mientras observo el rostro del viejo, quien todo este tiempo ha estado divagando despacioso y algo frívolo sobre la importancia de los balcones y las terrazas en la vida de la gente. *Recuerdas tú, la luna se asomó /para mirar feliz nuestra escena de amor...* Ambas imágenes se yuxtaponen, el viejo y Amelia. Se cruzan. Parecen fundidas sin sutura, como las mitades de Bibi Andersson y Liv Ullman en el famoso primer plano de *Persona*. Quizás el deseo pone en entredicho las identidades, porque el viejo y Amelia se integran en una sola cara y no es el ron ni el aire de la noche.

Como aquella vez que lo vi desde mi oficina. Él estaba de pie en el pasillo, diciéndole malevolencias a alguien, como siempre, tirando piedras. (Afirma que eso de atacar al prójimo no luce bien a su edad; supongo, pues, que no puede resistir la tentación de ejercitar el ingenio a costa de los demás: no debe ser fácil renunciar a un hábito tan añejo. Muchos le temen y eso lo divierte.) En aquel tiempo él aún no tenía noticias de mí. Nada, una muchacha ahí, una muchacha cualquiera. Pero yo, desde mucho antes, llevaba siempre en mi cartera una foto suya recortada de una revista. Una foto de archivo, treinta años atrás, un joven bellísimo frente a una máquina de [129] escribir. Amelia lo encuentra vulgar, de lo más corriente, pero ella no sabe nada de hombres.

Ese día lo detallé desde la sombra, sin moverme de mi asiento, para descubrir al fin la rara discrepancia entre sus rasgos y sus pretensiones. Nariz corta, respingadita, graciosa. Labios llenos, sensuales, voluntariosos. Ojos soñadores, pestañas largas, abundante pelo blanco. ¿Es esa la cara de un viejo cínico que no cree –ni descree– en nada ni en nadie? En el siglo XIX se creía que el rostro era el espejo del alma...

El viejo se aparta del balcón, donde ha permanecido quizás el tiempo necesario –y suficiente– para convencer no sé a quién de la soberana indiferencia que le inspiro. Como si yo fuera el mismísimo fresco de la noche, algo que pasa. A mí, por ejemplo, ni siquiera hay que decirme que después de la segunda botella me pongo insoportable: da lo mismo y, además, lo cierto es que no necesito alcohol para ponerme insoportable en cualquier momento: es mi oficio. El muchacho, en cambio, cuando no bebe es bastante simpático.

La espectacular indiferencia del viejo me convence a ratos (y lo que es peor, me pone triste), sobre todo cuando olvido que no mirar es mirar, que la persona que te ignora puede hacerlo porque sabe justamente dónde estás a cada instante. Supongo que sea así, pues en realidad no guardo memoria de haber ignorado jamás a nadie. ¿Cómo pretender que no existe lo que a todas luces sí existe? ¿Solipsismo? ¿Pensamiento mágico? No sé, pero tampoco ahora puedo dejar de seguir al viejo hasta el sillón donde se deja caer.

La mirada del muchacho –¿sorpresa?, ¿interés?, ¿miedo?– tampoco puede dejar de seguirme a mí. Todo lo contrario de la indiferencia, su intensidad es tal que en ella se pierden los matices. Me envuelve, me quema, me atraviesa. Es una mirada que conozco al menos en su incertidumbre: he buscado en ella a mi asesino y no lo he encontrado. Qué bueno. Pero de todas maneras podría ser él, pues los asesinos, ya se sabe, no tienen necesariamente que tener miradas de asesinos. Muchos ni siquiera saben que lo serán, que ya lo son. Al igual que la víctima, se enteran a última hora. Cuando las emociones se precipitan y se escurren entre los dedos.

El viejo se mece en el sillón de lo más contento. La casa es del muchacho, pero los sillones los ha comprado el viejo (he ahí la clase de detalles, domésticos si se quiere, que siempre alguien me cuenta) porque viene de visita casi todas las tardes y le encanta mecerse. ¿Qué otra cosa se puede hacer a mi edad? –es lo que dice–. Y sonríe igual que Amelia cuando se describe a sí misma como una tímida cosita que pinta tímidas naturalezas, vivas y muertas.

Me siento en una butaca frente a él. No dejo de observarlo. Para variar, mi insistencia no lo sobresalta. No me mira como se mira a las personas empalagosas y demostrativas. Incluso me asombra no advertir en él la más mínima inquietud. Sonríe otra vez. No sé, en lo absurdo también debería quedar un rincón para la coherencia...

Ambos hemos leído recientemente esas páginas chismosas de *A Common Life* (Simon & Schuster, 1994) donde David Laskin se extiende y se regodea en el amor desolado que durante largo tiempo profesó Carson McCullers, la maliciosa chiquita del cazador solitario, el ojo dorado y el café triste, a Katherine Anne Porter. Una pasión a primera vista que de manera perversa fue derivando hacia un asedio compulsivo, abierto, irresistible, maniático. Tal vez Carson también aprendía de los cactos. Sus torturadas demandas inexorablemente fueron retribuidas con patadas y más [131] patadas, desprecios y desplantes de todo tipo, con un odio que se me antoja inexplicable. Tan inexplicable y profundo como el amor (la diferencia) que lo había suscitado.

—Nada de inexplicable –me dijo el viejo–. McCullers la perseguía, la molestaba y nadie tiene por qué aguantar eso.

Sí, claro, sobre todo si estás en los calores de la menopausia y los hombres no te quieren y las deudas te llegan al cuello y tus libros no tienen el éxito de los de tu perseguidora. Si encima, te asustan las lesbianas, tú sabrás por qué.

Yo pensaba sentada en el suelo (él, por supuesto, en el sillón) y anoté que al viejo le disgustaba la vehemencia, el homenaje abrumador, la exuberancia intempestiva y desbordada de quien se lanza en pos de sus fantasías sin contar para nada con el protagonista de estas. Un escritor no quiere ser descrito tan sólo como el objeto del deseo (admiración, ambición) de otro escritor. Un deseo furioso puede llegar a ser anulador (Katherine Anne: la deplorable mujercita que rechazó a Carson), un escritor aspira a existir por sí mismo. Qué cosa.

Desde el suelo me preguntaba si el fuerte atractivo que el viejo ejercía sobre mí podría arrastrarme alguna vez a los extremos de Carson. Aparecérmele en todas partes con cara de sufrimiento, de perro apaleado. Llamarlo todos los días por teléfono –lo he llamado tres o cuatro veces y nunca reconozco su voz en el primer momento, la plenitud de su voz, el registro grave, me recuerda más bien al joven de la foto en mi cartera, siempre me dice "gracias por llamarme"–, llamarlo no para preguntar por un conocido, por una fecha, no para hablar del tiempo, las yagrumas o nuestras inclinaciones aristocratizantes: a ambos nos gustaría poseer un título de nobleza, somos así. No, llamarlo para decirle que no hago más que pensar en él. Que me voy a suicidar y suya será la culpa. Acercar el auricular al tocadiscos: *Yo te miré y en un beso febril / que nos dimos tu y yo / sellamos nuestro amor...* Obligarlo a cambiar su número, pesquisar el nuevo número. Volver a llamarlo. Mandarle cartas. Insistir, insistir hasta el vértigo. Perseguirlo hasta su casa, gemir, dar golpes enloquecidos en la puerta como en una habitación de la torre de Yaddo: "Katherine Anne, te quiero, déjame entrar." Permanecer tirada en el quicio toda la noche hasta que él salga y pase por encima de mi cuerpo... No me importaría hacerlo, pensaba. ¿Y a él? ¿Le importaría a él que yo lo hiciera? Quién sabe.

Todavía no he llegado a ese punto.

Por lo pronto me dejo llevar, no hago el menor esfuerzo por ahogar el impulso de seguirlo, mirarlo, permanecer junto a él: encantador de serpientes. Sublime encantador que mueve las manos, mientras habla –de su árbol preferido: la yagruma–, se cubre de metáforas como si dirigiera una orquesta sinfónica. El mismo gesto demorado que le he visto hacer en la televisión, donde lo creí un truco de cámara. (Conozco a la directora del programa, he estado pensando en ir a pedirle, de un modo muy confidencial, que me permita sacar una copia del video. Lo peor que puede suceder es que diga no.)

Mi atención no le molesta. Ahora lo sé. Más bien creo saberlo. ¿Cómo le va a molestar a un encantador la atención de una serpiente?

Soy discreta, no hago locuras. Soy discreta de una manera pública: todos a nuestro alrededor ya van advirtiendo lo que ocurre. No hay que ser demasiado perspicaz para darse cuenta de que el viejo, a [133] menudo ríspido, agresivo, negador –cuando se empeña en demoler a alguien, ya lo dije, lo que sale por su boca es vitriolo–, se comporta esta noche como un *gentleman*. Exquisito, elegante, sereno. Cuando abre y cierra el abanico, su enorme abanico oscuro, una dama de sangre azul, la marquesa de las amistades peligrosas. Y ese personaje, el de los chistes blancos y la sonrisa fácil, el que acomoda mi silla y me cede el paso, el que ha servido los postres con envidiable soltura (en la mesa siempre nos sentamos frente a frente y casi no puedo comer), le va de maravilla. Algo tan evidente no debe ser importante, este viejo es un hipócrita de siete suelas, un jesuita que sabe más que el diablo y se protege de los zarpazos de la bandidita, es lo que leo en las demás caras y me complace.

"No hago locuras" quiere decir que no convierto mi ansiedad en secreto. No podría hacerlo aunque quisiera, pero basta con exhibirla para dar la impresión de ser una persona muy segura de mí misma, una persona sobre quien resbalan las opiniones, los comentarios ajenos. De cierta forma es verdad: mi imagen pública difícilmente podría ser peor de lo que ya es. Hoy sólo me preocupa el reconocimiento, la aprobación del viejo.

El calor es suficiente para desabrochar un primer botón, sacarme el pelo de la cara, cruzar las piernas y la falda sube. Estoy sentada frente al viejo y vuelvo a pensar en Amelia, quien se marcha muy pronto a París con una beca por dos años de la Ecole de Beaux–Arts. Naturalezas vivas, espléndidas, regias naturalezas. La falda es roja, breve sin incomodar. (En momentos así es cuando pienso que yo nunca sabría llevar un título nobiliario como un personaje de Proust le recomienda a otro: igual que lady Hamilton, tengo alma de cabaretera.) La blusa es gris como esos ojos que me vigilan entre fascinados y sombríos. Fascinados no conmigo, sino con el conjunto. El viejo y yo.

Cómo me gusta decirlo: el viejo y yo.

—¿Tú quieres algo con él y conmigo? —me ha preguntado el muchacho, conciliador.

—No —le he respondido suavemente—. Sólo con él.

—Eso no va a ocurrir nunca —me ha dicho irritado—. Y si quieres te digo por qué...

—¿Tienes muchas ganas de decirme por qué?

—Yo... este... No, mejor no.

El viejo y yo conversamos. Es decir, parece que conversamos. Le pregunto algo sobre uno de sus libros. La biografía de un amigo muerto, uno de los verdaderos, un lindo libro donde el viejo se ha mostrado particularmente eficiente a la hora de escamotear detalles. ¿Buen tono? ¿Temor? ¿Censura? Me gustaría interrogarlo en el estilo de un paparazzo o un fiscal, en el estilo de Sócrates, enredarlo con su propia cuerda, hacerlo caer en contradicciones. Me gustaría verlo evadirse, sortear todos los obstáculos y pasar a la ofensiva. Me gustaría contradecirme yo y tocar su pelo blanco, apoyar un pie descalzo en su rodilla, todo a la vez y sé que no es el momento. Nunca será el momento, ¿no es eso lo que me han dicho? En medio de una charla de salón me seduce la imposibilidad.

—Nadie es como era él —afirma el viejo con una tristeza que no le conocía—. Nadie.

Y no es la amistad entre escritores ni la cita de Montaigne. Es el pasado. Su reino.

La madre del muchacho nos trae café en unas tacitas de porcelana azul con sus respectivos platicos [135] también azules. Todo de lo más tierno, como jugando a ser una familia. Me sonríe. Le sonrío. El viejo coge la tacita con un gesto mecánico, ensimismado. Quizá piensa todavía en el muerto, un muerto que le sirve para descalificar al resto de la humanidad conocida y por conocer. Empezando por mí, desde luego, que no soy como era él. Para nada. Es lógico, pero me incomoda.

Pienso en la madre del muchacho, Normita. Una excelente cocinera que tiende a apurarnos cuando el muchacho y yo nos demoramos ochenta años en pelar las papas o escoger el arroz, una excelente señora en sentido general. Es viuda y vive en un pueblo del interior, sola en una casa muy amplia. Ahora está de visita por un par de semanas o algo así –para el muchacho su presencia constituye un alivio, imagino por qué, la llama Normita en lugar de mamá–, pero se irá pronto, pues no soporta vivir lejos de su casa y su tranquilidad en este manicomio que es La Habana.

Hemos descubierto (o construido) entre nosotras una afinidad peculiar. Me cuenta deliciosas anécdotas sobre la infancia de su hijo para horror de él. Se ríe. "Ponme en una de tus novelas", me dice y vuelve a reírse. "Así no vale, Normita", le digo. Es Escorpión, igual que yo, y dice que la gente tiene muchos prejuicios con los escorpiones, que en el fondo somos buenas personas. Si de verdad ella piensa que soy una buena persona, cosa que me resisto a creer, no sé qué prejuicio en esta vida puede quedarle a Normita. Pero siempre es reconfortante tener a alguien que le diga eso a uno. ¡Si lo sabré yo!

Me ha invitado a irme con ella cuando regrese a su casa. O después si lo prefiero. Necesito respirar aire puro, ya que, en su opinión, estoy medio chiflada. Probablemente aceptaré. Quizá me resulte lacerante pasar por la calle de Amelia los viernes de cinco a siete y ver el taller cerrado a cal y canto. No estoy segura, pero es muy posible. Habrá que esperar a ver. Porque han sido años, casi desde que éramos adolescentes; Amelia conoce mi cuerpo como nadie... y de pronto ¡zas! Sí, yo también me iré. Dentro de poco hago así y cobro los derechos del último libro, pido vacaciones en la editorial (los anónimos que vayan llegando me los pueden guardar, a veces son utilizables), le doy todo el dinero a Normita y me instalo por tiempo indefinido en un pueblo del interior. Mis cactos y mis modelos pueden sobrevivir sin mí. No creo que me necesiten demasiado ni yo a ellos. ¿Podría escribir un libro enteramente de ficción? ¿Acaso puede existir semejante libro? No lo sé. Tal vez sería la mejor solución para todos, no lo sé.

El viejo y yo hemos estado hablando del placer que produce acostarse boca arriba en la cama en el silencio, en una tarde apacible, y divagar. Deshacer los lazos que nos atan al mundo, dejarnos fluir en la soledad que de algún modo ya hemos aceptado.

El muchacho se acerca a nosotros con el sempiterno vaso de ron en la mano. El viejo desaprueba con los ojos. El muchacho lo enfrenta retador. Pienso que el muchacho podría hacer algo desesperado en cualquier momento. Algo tan desesperado como el silencio que se empeña en mantener o la ferocidad de sus réplicas aisladas y no muy pertinentes...

Divagar. Las imágenes se suceden unas a otras, se interponen, se entrelazan. Imágenes visuales, auditivas, aromáticas. Procedentes lo mismo de los libros, el cine o la música, que de ese *eidos* con límites borrosos (esfumados como el background de Monna Lisa) que por convención suele llamarse "la vida real". Una vida, a veces no tan cierta, que no sólo incluye los viajes, el momento indescriptible en que se descubre desde el avión cómo se alza vertiginosa Manhattan entre un mar de neblina, o el ronroneo sobrecogedor del primer vuelo sobre el Atlántico o las blancas cimas de los Andes. Una vida que también abarca, como miss Liberty o el Cristo de Río, la cotidianeidad en apariencia más intrascendente, con sus afectos y desprecios, con sus pasiones anónimas de pronto tan, pero tan inmersas en lo ficticio, en la fábula.

Porque mi mundo interior es impuro e inmediato, casi palpable, quienes me odian dicen que no lo tengo, pienso.

Pero no menciono eso último por no perturbar al viejo, quien comprende y acepta y hasta participa de mi misma noción de divagar. Después de todo, quienes me odian son sus amigos. Con ellos comparte complicidades, credos estéticos, historias vividas; con ellos tiene compromisos. Esos mismos que le impidieron hacer la presentación de mi primera novela, donde me río un poquito de ellos (más de lo que sus egos hipersensibles pueden soportar, qué horrendo delito, ja), les saco la lengua y les guiño el ojo. Sé que ellos no significan para el viejo ni remotamente lo que significó el muerto. Porque nadie es como era él, nadie. ¿No es así como decía? Sé que el viejo está solo, que no lo olvida y siente miedo. Que los compromisos son los compromisos. Por esa razón, y no por aquella otra que con aire freudiano insinuaba el muchacho, entre el viejo y yo no puede suceder nada. He llegado demasiado tarde. Hay un muro.

No quiero introducir asuntos espinosos ahora que nuestra divagación sobre la divagación, más allá de rencillas y despropósitos, fluye tan armoniosa.

—Ustedes, ya que son tan cínicos, tan lengüinos, deberían discutir... ¿Por qué no se enfrentan? –sugiere el muchacho y el viejo se hace el sordo.

—Estamos discutiendo, enano, lo que pasa es que tú no te das cuenta –comento y el viejo sonríe.

¡Ay, viejo! Querría decirte que a mí también me gusta tu muerto (quizá menos que a ti: prefiero el teatro de O'Neill, su Largo viaje del día hacia la noche es único, es genial, es incomparable desde cualquier punto de vista y tu muerto debió saberlo, no debió rechazar aquel desmesurado elogio desde la soberbia, lo siento, viejo, cada cual se inclina sólo ante sus propios altares), querría decirte que me gusta sobre todo la relación que hubo, que hay, entre ustedes, un viejo y un muerto, que me fascina tal y como la describes en tu libro, que los envidio a los dos porque yo nunca tuve amigos así...

Voy a hablar y el muchacho me interrumpe en el primer aliento para decir que la divagación no es lo que creemos nosotros, sino un concepto muy diferente, relacionado con el sexo o algo por el estilo. No lo entiendo bien. Habla como si no pudiera evitarlo, como si las palabras salieran por su boca en un chorro a presión. Es un hombre desmesurado, violento, pienso no sé por qué. El viejo hace un gesto de impaciencia:

—Sigue tú con tus divagaciones y déjanos a nosotros con las nuestras –dice en voz baja.

¿Las nuestras? ¿Las nuestras ha dicho? ¿Existe entonces algo que el viejo y yo podemos designar como "nuestro", aunque no sea más que la imposible suma de dos soledades? Tal vez lo ha dicho para mortificar a su amante. Alguien tan entrometido probablemente se merece que lo aparten de vez en cuando, al menos un par de milímetros. Ellos, pienso, deben estar acostumbrados el uno al otro (como Amelia y yo) con sus necesarios, vitales, imprescindibles conflictos; eso se les ve. El viejo me utiliza. Pero no me importa: que haga lo que quiera, lo que pueda.

Porque me han contado que en una tarde bien tranquila, de esas que invitan a la siesta y a la divagación, el viejo se apareció en esta misma casa, todo agitado, con un ejemplar de mi primera novela en la mano. Se la tendió al muchacho y le dijo busca la página tal y lee,

[139]

[140]   lee en voz alta. Y el muchacho le dijo ¿no quieres té?, ¿por qué no te sientas? Y el viejo le dijo lee, vamos, lee, como quien dice pellízcame a ver si no estoy soñando. Y el muchacho leyó. Unas diez páginas, en voz alta.

Me han contado que el viejo, iracundo y alegre, caminaba de un lado a otro, se alteraba, se reía, se ahogaba, volvía a reírse, a carcajadas, se tocaba el pecho, pedía agua. Un desorden de emociones, el nacimiento de una nueva ambivalencia. ¿Tú has visto qué mujer más mala? No, no es buena. Lo peor es que todo esto (el muchacho señalaba el libro abierto como un pájaro con las alas desplegadas, como el diablo de Akutagawa) es verdad. Malintencionado sí, pero falso no es... ¡Un poco más y pone hasta los nombres de la gente con segundo apellido y todo! No, lo peor no es eso (el viejo hablaba despacio, saboreando las palabras). ¿Qué es lo peor? Lo peor es que ese librejo infame está bien escrito. Mira tú qué clase de oxímoron. Lo peor es que me gusta y que esta mujer perversa hasta me cae simpática... (Me seduce imaginar al viejo, con su voz tan envolvente, susurrándome al oído muchas veces la frase "mujer perversa, mujer perversa, mujer perversa". Yo me erizo.) Sí, a mí también, pero te juro que no quisiera verme en el lugar de esta gente. ¿Cómo se habrá enterado ella de cosas tan íntimas, eh?

Ignoro si la escena transcurrió exactamente así. Lo anterior es un esbozo tentativo, más o menos tragicómico. Pero en esencia fue así y así la concibo tomando en cuenta los hechos posteriores: a partir de entonces mis relaciones con el viejo, que antes apenas existían, se convirtieron en una diplomática sucesión de espacios vacíos, en una fila versallesca de puertas cerradas o entreabiertas, con celosías y el año pasado en Marienbad.

Ahora, cuando dice "nuestras" y me envuelve en ese plural excluyente, de alguna manera me acerca.

No sé. No es fácil interpretar al viejo –mi próximo libro, el que escribiré en casa de Normita, podría llamarse *El viejo, An Introduction*, como los manuales anglosajones, y se lo enseño cuando aún esté en planas y podamos negociar con los detalles, no vaya a ser que al pobrecito le dé un infarto ante tal muestra de amor–, sólo siento que me acerca. Mejor aún, que ya estoy cerca aunque él no lo diga. ¿Qué puede importarme si de paso me utiliza para fastidiar un poco al muchacho?

Permanecemos los tres en silencio. Normita y los otros conversan, toman café y fuman como si no estuviera ocurriendo nada. Quizá no está ocurriendo nada y sólo existe una persona, yo, colocada ahí para discurrir, suponer, para inventar historias sobre la gente y cada día buscarse un enemigo más. Una enredadora profesional.

Miro al viejo, él me mira. Le sonrío, me sonríe. Cualquiera diría que somos un par de idiotas. Como si hubiese escuchado mis pensamientos, él se levanta y, en el tono más natural que ha podido encontrar, dice que se va. En mi cara algo debe haber de súplica (esa expresión no la necesito para mi trabajo, pero también la he ensayado frente al espejo, por si acaso se presentaba alguna coyuntura imprevista y aquí está), pues me explica, como a un niño chiquito, que ya es muy tarde, que ha permanecido incluso más tiempo que de costumbre. Que él es una persona mayor (un viejo) y no debe trasnochar, a su edad los excesos son peligrosos.

¡A mí con esas! Pienso que le gusta aparecer y desaparecer, darse poco, a pedacitos, escurrirse entre las bambalinas y el humo de la ambientación, detrás de su enorme abanico oscuro como la diva más seductora. No tiene apuro y yo, que soy joven, tampoco debería tenerlo. Pero la edad no constituye ninguna garantía acerca de quién va a morir primero. Lo inesperado acecha y nos hace mortales de repente, nunca lo olvido. Como la gente abanderada del sesenta y ocho, quiero el mundo y lo quiero ahora...

No sé de qué forma lo miro, porque sus ojos brillan y vuelven a soñar a pesar del cansancio, de nuevo se transforma en el joven de la foto en mi cartera cuando se aproxima, y él (el joven, el viejo, él), que nunca me ha tocado ni con el pétalo de una flor, ni con la púa de un cacto –lo de la púa va y le gusta, quizás hasta sueña, mal bicho, con arañarme la cara–, él, que se inquieta y hace muecas de pájaro incómodo cuando penetro en su aura, se inclina y me besa en la boca. Bueno, más bien en la comisura, pero pudo ser un error de cálculo, un levísimo desencuentro. Me besa como alguien que se despide y quiere dejar un sello. O como alguien que flirtea sin comprometerse, que juega a alimentar una pasión no correspondida. O como alguien que simplemente se siente bien. Como Peter Pan y Wendy, el último de los cuentos de hadas.

Es sabia la idea de perderse ahora, pienso.

No sé si el muchacho ha notado el gesto, es igual. Ellos intercambian algunas palabras que no alcanzo a oír y que tampoco me importan. Me he quedado petrificada, hecha una estatua de sal por asomarme a un pasado que no me pertenece, y sólo atino a levantarme de la butaca cuando el viejo ya se ha ido. Corro, pues, al balcón para verlo salir. Demora un poco en bajar la escalera (que es muy empinada y con escalones de diverso tamaño, la locura) y cuando al fin descubro su cabeza blanca, justo debajo del balcón, ya no sé si llamarlo, si gritar su nombre, si dejar caer sobre él la tacita de porcelana azul que aún conservo en la mano. *Tú volverás, me dice el corazón,/ porque te espero yo, temblando de/ ansiedad...*

No hago nada. Quizá porque he vuelto a sentir una mirada gris, más agresiva que nunca, clavada en mi espalda. Pero no es necesario: al llegar a la esquina el viejo se vuelve bajo la luz amarillenta de un farol callejero con algo de spot light. Es la estrella, no hay duda. Me saluda con la mano, de nuevo dirige una orquesta sinfónica. Rachmaninov empecinado, dramático. Rapsodia sobre un tema de Paganini. No distingo bien su rostro, se pierde entre la luz y la sombra, sigue siendo el joven de la foto. No sé si se despide o si me llama. Prefiero creer que me llama. Si es así, me esperará. Entro, pongo la tacita sobre la mesa, recojo mi cartera, un chao Normita –besos no, ahora nadie puede tocarme la cara–, chao gente, la puerta y salgo.

El muchacho sale detrás de mí. Escucho sus pasos, su respiración anhelante. Me alcanza en el primer descanso de la escalera. Me agarra por el brazo.

—Déjalo tranquilo –creo que dice, no lo entiendo bien.

—Quítame las manos de encima –trato de soltarme, él es más fuerte que yo.

—No –aprieta más–. Hoy tú te quedas a dormir aquí.

—Te dije que me quitaras las manos de encima.

Es raro, ninguno de los dos grita. Todo transcurre a media voz, en la penumbra de un bombillo incandescente sobre una escalera de pesadilla. Al parecer no es algo público, se trata de un asunto a resolver entre nosotros.

—¿Pero qué te has creído, puta?

Me sacude. Forcejeo. No consigo deshacerme de él. No sé por qué no grito. Alguien tendría que venir. Vivimos en un mundo civilizado, ¿no? No se puede retener a las personas contra su voluntad. ¿Y si gritara? [143]

[144] Arriba están Normita y los demás. Los boleros. En la esquina me espera el viejo. *Y me darás...* Tengo que sacarme a este loco de arriba, como sea. Pero no grito. ¿Será verdad que vivimos en un mundo civilizado? El viejo está en la esquina... *tu amor igual que ayer...* Con la mano libre le doy una bofetada. Parpadea, por un segundo el estupor asoma a los ojos grises. Después aparece la cólera y hay un instante donde me arrepiento... *y en el balcón aquel...* ¿Por qué nos obligamos a esto? Me suelta para propinarme la bofetada más grande, si mal no recuerdo la única, que haya recibido en mi vida. Tanto es así que pierdo el equilibrio. Con la última frase mis dedos resbalan por el pasamanos. Mármol frío. No hay nada bajo mis pies. Él trata de sujetarme y hay un instante donde se arrepiente. Al menos eso me parece, pues grita mi nombre y, en lugar de "puta", oigo un "Dios mío". Su voz resuena, se multiplica, se fragmenta, viene de muy lejos. Golpes, muchos, incontables astillan y quiebran. Por todas partes. En la espalda y algo se congela. En la cabeza y cómo es posible tanto dolor y de repente nada. Se acabó, final del juego. ¿Era tan fácil? A partir del segundo descanso no soy yo quien rueda por la escalera, es sólo mi cuerpo. Dejo de oír. Me siento flotar, algo se hace lento. Hay un abismo, un resplandor. Pienso en Amelia.

jesús david curbelo

Contigo
en la distancia

La última madrugada Sebastián del Pino había vuelto a tener aquel mal sueño. Despertó sobre las tres con la sensación de que acontecería el final. Ya no podría soportar más tal disparate. Desembocó en la azotea dispuesto a liquidar, a como diera lugar, aquella locura.

El drama había comenzado en su juventud. Hijo de un rico hacendado ganadero, Sebastián era adicto a los buenos caballos. Su fama de gran jinete recorría la región de finca en finca. Le convidaban a cuanto rodeo y justa de caballería se celebraran por la zona. Él mismo fomentaba la cuadra de su padre, provista con los mejores ejemplares que se conocieran en veinte leguas a la redonda. Pero Sebastián estaba inconforme: los animales que montaba no le parecían dignos de su maestría, con ninguno conseguía formar esa pareja perfecta que constituyen hombre y cabalgadura en las estatuas ecuestres. Por eso decidió elegir uno de excelente raza y comenzar a entrenarlo desde potrillo con el propósito de poseer, algún día, una montura capaz de sostenerlo en su lomo para la eternidad.

Seleccionó para ello la cría de un semental de Kentucky y una yegua Koël de pura sangre traída directamente del Líbano. Ambas bestias reunían las cualidades que, mezcladas, convendrían a su ideal: donosura, nervio, docilidad y fuerza. El parto arrojó una potranca criolla que era un milagro de genética caballar. Sebastián del Pino, orondo, se entregó a la faena de amamantarla con un biberón para crearle una dependencia definitiva de aquel ser bípedo que sustituía el calor y la blandura de la ubre materna. La potriquita comprendió enseguida: se la veía diariamente tras la estela de su dueño como un perrito faldero. De su mano comía guayabas con sal y mangos verdes, pagando con la caricia de sus belfos tamaña dedicación. Acudía a su silbido para lamerle dedos, brazos y cara en una muestra de regocijo apenas verosímil si no existieran decenas de testigos que pudiesen dar fe de esa suerte de romance entre el muchacho y la yegüita.

Y llegó la doma. Sebastián la condujo al picadero y se afanó en urdir para ella una serie de ejercicios que flexibilizaran su cuello al gobierno del bocado en un amplio abanico de izquierda a derecha a izquierda, y de abajo hacia arriba y de nuevo abajo, dejándola lista para obedecer el freno hasta al menor movimiento muscular del montador. Después vino la silla. La potra acató cinchas y bastos y glúteos en el arzón y muslos y rodillas en las perneras y en los estribos, esos pies armados de unas espuelas que hurgaban en sus ijares con esta o aquella frase apoyada o contradicha por los manejos de la rienda. Así aprendió el aire del paso castellano, largo y cómodo, y el compás del trote donde lucía sus cañas y cernejas en una pisada rápida y concisa que Sebastián calzaba con el peso de su tronco marcándole el ritmo y la velocidad. Pulió, luego, en el galope, la solidez de sus coronas y menudillos al alzarse sobre las patas traseras, apoyar las cuatro, impulsarse en las delanteras y mantenerse suspendida unos segundos, para volver a caer y reiniciar una secuencia tan perfecta que le granjeaba aplausos, carantoñas, cebada y zanahorias frescas en el comedero y reposo en establo aparte tras el baño tibio y la estregadura de la almohaza por su piel.

Fue la gloria: Sebastián y Milagrosa cristalizaron en un dúo infalible y el prodigio corrió de boca en oídos y de ahí a la prensa hípica que acosó al joven con entrevistas, fotos y jugosas propuestas publicitarias con las cuales crecieron su vanidad y la admiración de múltiples jovenzuelas fascinadas por la apostura y la pericia del caballero. Mas Sebastián del Pino andaba poco interesado en mujeres. Una tarde de verano, a orillas del río donde fue a refrescarse junto a su jaca, había descubierto el atractivo de aquella grupa y el excitante aroma de aquel sudor emanado de las ancas de la yegua. La guió, pues, hasta un tocón cercano y la penetró con toda la furia de sus veinte años después de haberla enredado en un escarceo donde haló crines y colas y mordió con frenesí cruz, sulcos y belfos como había visto hacer a los garañones en las sabanas desde que era niño. Milagrosa respondió con bufidos de placer y tomó parte activa en la cópula bautizando a Sebastián con el aire caliente que expelía por los ollares y con la verdosa saliva que su lengua iba regando por el cuerpo del amante.

A partir de entonces se repitieron las escapadas y se sofisticaron los intercambios a niveles sublimes. Sebastián insistió en el aislamiento de su pupila y no hubo padrote de casta ni rocín que pudiesen acudir a los reclamos de Milagrosa en su época de celo. El dueño mandó a fabricar una telliz de lienzo para cubrirla durante las salidas imprescindibles y con tal cinturón de castidad logró evitar las acometidas de cuanto potro excitado estuvo a menos de dos metros de profanar con su verga las carnes únicamente consagradas a Sebas-

[147]

tián. Usó siempre el subterfugio de que no enturbiaría con una gestación y una maternidad innecesarias la estampa de Milagrosa y la posibilidad de sacarle, en hipódromos y ferias, cientos de billetes que acrecentaran el patrimonio familiar.

Pero Don Manuel del Pino tenía otra idea de la vida. A su puerta tocaron muchos pudientes señores trayendo como oferta la virginidad de sus hijas y unas dotes atendibles para el sostén de cualquier matrimonio. El padre sentó al retoño en el portal y le aclaró los detalles de la situación: podía escoger entre colarse en la familia de un senador o desposar a la primogénita de Don Arcadio Ladrón de Guevara, quien haciendo honores al torvo sustantivo que encabezaba su prosapia lograra reunir una fortuna sólo comparable con la de ellos mismos. Sebastián se negó rotundamente a casarse con nadie. El viejo le preguntó rudamente si acaso no le gustaban las mujeres. Y añadió, sin dejarle responder y así no enterarse del conflicto, que aun de ese modo merecería soportarse cualquier martirio con tal de sumar a los suyos los acres de fértil suelo y las cabezas de ganado, por no hablar de los miles de pesos en efectivo que dejarían la agricultura y las rentas. Sebastián mantuvo el no. Don Manuel juró que lo desheredaría por imbécil y, viendo que el vástago dubitaba, le dio una semana de plazo para tomar la decisión.

El día de la petición de mano Sebastián ensilló a Milagrosa con una sombra de culpa en la mirada. Partieron hacia los predios de los Ladrón de Guevara a tiro hecho: Don Manuel y Don Arcadio habían compuesto el mosaico entre el ir y venir de tazas de café y copitas de aguardiente, y sólo restaba aquella visita para que la niña Asunción diera por sus labios un sí tan público que ya rumoraban de él los periódicos de la capital. El ilustre caballista estrenó esa tarde las galanuras del paso piafe: la yegua atravesó el portón de los futuros suegros de Sebastián con los remos delanteros golpeando el terreno alternativamente una, dos veces, y avanzando en zigzag con la testuz erguida y el pecho resaltando sus músculos en el ardor de tal danza. Su rival aguardaba en la veranda de la mansión con los ojos encandilados por el deslumbramiento. La ceremonia fue breve: en el almuerzo Don Arcadio hizo un paréntesis y anunció el compromiso, mientras Asunción, saltando de su asiento, corría hacia Sebastián del Pino y le estampaba un beso en los labios.

A la despedida, el ósculo resultó mucho más íntimo: los novios juntaron sus alientos en una mutua exploración con lenguas y dientes que sólo fue interrumpida por un estrepitoso relincho. Asunción tembló de miedo al percibir la belicosidad de Milagrosa. Sebastián la distrajo hablándole de la afinidad entre ellos. La muchacha, suspicaz, indagó hasta dónde llegaba. El joven la miró colérico y montó bruscamente con la intención de marcharse. Ya a horcajadas asimiló la disculpa y dobló el torso para el besito que sellaría las paces. Entonces sucedió: desatando un torbellino de corcovos y caracoleos Milagrosa terminó encabritándose y dando por tierra con un Sebastián incapaz de domeñarla y que, para peor ventura, no pudo sacar a tiempo el pie izquierdo de la estribera y hubo de ser arrastrado cerca de veinte metros en frenética galopada.

La boda debió ser pospuesta casi un año, mientras remolcaban a Sebastián de un médico a otro tratando de restañarle las fracturas. Al fin un ortopédico obtuvo, mediante prótesis en la cadera y fijadores en el fémur, la proeza de hacerlo caminar sobre sus piernas. Mas no podría volver a subirse en un caballo durante lustros. Sus peones se preocuparon por el destino de la potranca. Sebastián aseguró que guardaba algo muy especial para ella. Inmediatamente después de la caída se había aplicado en saber su sino: era presa de un [149] ataque como de rabia: pateaba, mordía y echaba espumarajos por la boca; solamente a lazo consiguieron acarrearla al corral y, una vez allí, tuvieron que drogarla para que se apaciguara. Nadie fue capaz de cabalgarla jamás. Antes de pegarle un escopetazo consultaron a Sebastián si no estaría bien como yegua de vientre. Dijo que no, sugiriendo la empleasen en el tiro. Pero no existió varón que alcanzara a convencerla con colleras, sillines y medias gamarras, ni tílburi o cabriolé cuyas barras soportaran tanto brinco mal intencionado ni tanta carrera a campo traviesa. Tampoco funcionaron los carruajes de doble tracción, pues Milagrosa hostigaba a sus compañeros de tal forma que era imposible para los conductores ejercer el control sobre los coches.

El recién casado Sebastián del Pino resolvió cortar por lo sano el asunto de aquella bestia enloquecida. Aunque cobrándole el golpe artero que le propinara luego de asaz cariño. Ordenó atarla firmemente al tocón de los orígenes y dejarla ahí a sol y sereno, muerta de hambre, entre la fresca hierba, y de sed ante el caudaloso río a los que un duro bozal de cuero le impedía acceder. A lo largo de cuatro jornadas se escucharon sus relinchos cada vez más débiles. Las auras se dieron banquete con la carniza. El esqueleto fue enterrado a varias millas con un gesto de asco en la faz del montero por aquel ensañamiento del amo.

Y a Sebastián del Pino le principiaron las pesadillas. A sus sueños acudieron retazos de las escenas eróticas entre él y Milagrosa. Amanecía empapado en su propio líquido seminal para espanto suyo y molestia de Asunción, quien consideraba baldía esta dilapidación que no menguaba ante ningún esfuerzo imaginativo por satisfacer el eros de su cónyuge. Después las cosas se complicaron: despertaba aullando de dolor porque la aparición le arrancaba de un mordisco el miembro viril, la nariz, una oreja, o retorcía los pasadores del fijador hasta hacerle saltar el hueso. Pálido y convulso, debía de contentarse con el vano consuelo de Asunción, sin atreverse a confesarle la causa de sus terrores so pena de echar abajo el andamiaje tan bien tejido por Don Arcadio y Don Manuel. Por esa fecha apareció el monstruo mitad persona mitad equino que le llamaba papá y pretendía alucinar sus siestas con demandas de afecto y protección económica. Finalmente, soñaba sólo con Milagrosa plagada de llagas purulentas merced al calor y al abandono, y provista con una voz de ultratumba que le imprecaba: "Te voy a cobrar la afrenta, cabrón".

No durmió más. Pasaba las noches en vela sentado en la cama, tratando de conjurar con el insomnio la mueca de la potra al proferir la sentencia maldita. No le salvaguardaron cocimientos ni curanderos: Sebastián no pegaba un ojo ni se lo dejaba pegar a nadie en la casa bajo el pretexto de los atracadores que vendrían a saquear la hacienda y a violar y aniquilar a sus moradores. Dispuso construir sólidas tapias de ladrillos y fosos y cercas de tela metálica alrededor del hogar que, cual si no bastara, hizo proteger con perros fieros y matones armados, porque había comenzado a oír relinchos y repique de cascos en el silencioso bullicio de la campiña nocturna.

Ya Don Manuel pensaba en un sanatorio cuando su hijo desencadenó la trifulca. Salió una madrugada rifle en mano hacia la profundidad del monte haciendo caso omiso de sus dolencias y de los familiares y servidores que quisieron impedírselo. Hasta el amanecer estuvo disparándole a la oscuridad y gritando insultos del peor jaez al espectro de Milagrosa. Lo ubicaron sobre las diez de la mañana, en la ribera del arroyo, con la ropa en jirones y musitando una críptica letanía acerca del crimen y del castigo. Don Manuel en persona se ocupó de trasladarlo al manicomio fuertemente amarrado y de ajustar con el doctor Quintero los pormenores de su tratamiento.

El galeno nunca acertó a diagnosticar si era una parafrenia o una esquizofrenia paranoide. Le confundía aquel cuadro con delirios de persecución y perjuicio en una personalidad aparentemente conservada. Prescribió altas dosis de neurolépticos y allá fue Sebastián del Pino a tragar fenotiacinas en píldoras y grajeas sin que ello influyera un ápice en que dejara de escuchar galopes y bufidos, ni de ver a Milagrosa clamando venganza en sus ensoñaciones. Quintero, decepcionado, suspendió la trifluoperacina, el parkisonil y la levopromacina y se avino al viejo procedimiento de Cerletti y Bini, de borrarle, mediante corriente eléctrica, las ideas fijas al paciente. En virtud de las lesiones óseas de Sebastián, Quintero hubo de esmerarse en las porciones de tiopental sódico y succinilcolina que anularan las severas contracciones musculares de la convulsión. Pero fue en vano: retornaban la yegua y los fragores a despecho de voltajes y electrodos. El médico decidió palpar el límite y se decantó por el coma insulínico. Con Sebastián en ayunas probó a irle inyectando, por vía intramuscular, cantidades ascendentes de insulina que le llevaran de la hipotonía a la agnosia, de la apraxia a las sacudidas clónicas y de los espasmos tónicos a la pereza en los reflejos palpebral y corneal.

Inútil. Luego de una comida suculenta Sebastián del Pino organizaba las obsesiones y refería que Milagrosa le amenazaba de muerte desde la opacidad de sus duermevelas. También sufría un proceso de estropeo físico que dejó de gustarle a Don Manuel, no dispuesto a invertir tanta plata en menoscabo de su muchacho. Alguien, por esa época, le dio a leer un artículo de Kalinovsky sobre la inoperancia de los métodos biológicos y el potentado estalló: se personó ante

Quintero revólver en mano a reclamar el alta de Sebastián estuviese o no curado de sus dislates. Acusó al siquiatra de sádico y le intimidó con un escándalo sin precedentes en caso de que el hijo padeciera algún trastorno posterior al ingreso en su clínica. El sujeto, queriendo salvar la honrilla, le recomendó consultar al doctor Estrada, egregio discípulo de Franz Alexander, especializado en trastornos sexuales.

Don Manuel no quedó muy convencido de que los males de Sebastián estuvieran determinados por el sexo, mas fueron donde el nuevo terapeuta en busca de la salvación. Estrada prohibió, desde el principio, cualquier contacto con el pasado y aconsejó la mudanza: Sebastián y su señora debían de abandonar el campo e instalarse en la ciudad, lejos de todo vestigio de equitación y cría de caballos. Con paciencia de orfebre fue desentrañando hasta el último secreto relacionado con la enfermedad. Arguyó que aquellos sueños denotaban una insatisfacción de primer orden originada por algún episodio de infancia. Era, sin duda, una típica afección de bestialismo. Ensayó una terapia por aversión, influyendo en la mente del enfermo a través de la hipnosis catártica. Censuró los westerns, las series ecologistas, las novelas de capa y espada y hasta el mínimo elemento relacionado con equinos. Pero Sebastián no adelantaba. Tampoco lo hizo bajo la sugestión en vigilia: las fantasías eróticas con Milagrosa no conseguían disuadirlo del pánico y sólo acentuábanlo tanto que tornaba a la próxima sesión con una ansiedad cada vez más profunda y murmurando trabalenguas acerca de asesinatos y suicidios.

Estrada recetó, aun contra su criterio, gran cantidad de benzodiazepinas. Y pasó a la fase de las asociaciones libres en pos de una experiencia emocional correctiva que pusiera a Sebastián en un plano de aceptación y manejo de su parafilia. Hilvanó un largo discurso cimen-

[153]

tado en lo común que es soñar con caballos. Sebastián
ripostó que él soñaba con una yegua específica: Milagrosa. Estrada volvió a la carga con una sonrisa de triunfo: precisamente, yegua era una palabra asociada con
pesadilla desde la antigüedad, de tal modo, que el equi-
valente inglés del término, *nightmare*, significaba lite-
ralmente "yegua de la noche", lo cual constituía un
indicio de que ya los antiguos atribuían al animal, por
una parte, ferocidad y furor demoníacos y, por otra, una
fidelidad tan grande a los humanos que no les abandonaban ni siquiera durante el reposo. O bien podría ser
que en los albores de la humanidad a alguien se le apareciera en sueños una yegua para atormentarlo lo mismo que a él le mortificaba Milagrosa. Iba el facultativo a
pegar la hebra con una teoría audacísima sobre la cura
de Sebastián mediante la asunción de una de las dos
variantes, cuando este se puso en pie y salió hecho una
fiera de la consulta, tras de haberle aclarado a aquel
mariconazo con ínfulas de sabio que para recibir confe-
rencias de lingüística inglesa no precisaba pagar la hora
a precio de pozo petrolero, y que en lo tocante a asun-
ciones bastante tenía con su mujer. A la susodicha, que
le aguardaba en el salón de espera, la agarró con vehemencia por un brazo y abandonó con ella el edificio gritando que resolvería por su cuenta aquel enredo.

Tiró al cesto de la basura los medicamentos, despi-
dió a guardaespaldas y enfermeras y alquiló para él y
Asunción el penthouse de un rascacielos en la capital.
Una vez aposentado acondicionó la vivienda con paredes a prueba de ruidos y cortó la vinculación con el
mundo exterior. Se había surtido de ametralladoras,
parque y armas blancas suficientes para enfrentar a
un ejército. Obligó a la esposa a velar juntos mientras
le relataba sus encontronazos de amor con la potranca a orillas del río. Poniéndola en cuatro pies sobre la
alfombra la conminó a bufar y relinchar al tiempo que

torcía sus largas trenzas y le llenaba el cuello y la espalda de mordiscos y chupaduras. Asunción, resignada, condescendió sin condiciones con tal de paliar la congoja del marido. Sebastián, sin embargo, dio señales de una inequívoca mejoría.

Primero cesó de escuchar relinchos y galopadas; después se quedó dormido por espacio de varias horas luego de haber vaciado en Asunción su lava de macho primitivo; por último logró descansar la noche entera sin quejidos ni contorsiones. Entonces se inflamó de soberbia. Escribió a su padre comunicándole la nueva y reclamando su sitio en la administración de los negocios familiares. Notificó a los médicos el cómo de su sanación, aprovechando para mandarles a paseo junto con Sakel y Freud y todo el circo de la siquiatría moderna. Sólo le faltaba tener un hijo para considerarse completamente feliz. Él y Asunción se empeñaron en la tarea con el ímpetu de un par de náufragos que avistan tierra tras una larga temporada a la deriva.

El embarazo cambió la tónica de sus existencias. Don Manuel y Don Arcadio colmaron el ático de comodidades y regalos inservibles. Sebastián fue admitido en la plana mayor del clan. La prensa hízose eco de las interioridades de su recuperación, burlando hábilmente los momentos amorales o poco edificantes de la etapa crítica. La futura mamá cumplió tres meses en medio de una bonanza absoluta, aunque el ginecólogo recomendó suspender el trasiego carnal al encontrarse con una capacidad uterina prácticamente infantil y propensa al aborto.

Automáticamente, Sebastián reincidió en la soñadera. Con la diferencia de que ahora no resucitaba Milagrosa en sus ensueños. Era Asunción quien daba a luz un centauro que crecía y crecía hasta reventar en pedazos que daban origen a nuevos centauros que también se multiplicaban en otros que se reproducirían en

[156] más y así infinitamente si no acaecía la bendición del despertar.

Mantuvo el secreto con la esperanza de que después del parto sus nervios se arreglarían y la crianza del chiquillo actuaría como un bálsamo definitivo. Pero Asunción lo descubrió una medianoche en que mascullaba: "No, no, de nuevo no, por favor". Tuvo que contarle la catástrofe y ella le propició una solución: no podía dormirse, habría de resistir despierto los meses restantes para convencerse de que su hembra portaba dentro un niño común y corriente encargado de exorcizar aquel desvarío. Fue imposible lograrlo. No bien hablaron de ello Sebastián arrancó a adormecerse a todas horas y por sus letargos pululaban los seres cuadrúpedos que aniquilaban su razón y su espíritu y le hacían abjurar de todo. La última madrugada reapareció Milagrosa envuelta en un halo de olores y sonidos casi tangibles "Te advertí que te la cobraba, cabrón".

Los vecinos padecieron alaridos y ráfagas hasta el alba. Ninguno osó intervenir temiendo las reacciones de un orate respaldado por arsenal tan rotundo. A las seis de la mañana arribó la Fuerza especial de la Policía con el equipamiento para y la disposición de arrastrar a Sebastián de regreso al manicomio. Hallaron una escena espeluznante: tendida bocarriba sobre el lecho yacía Asunción abierta en canal con un cuchillo comando y con las vísceras hechas picadillo y diseminadas por la habitación. Del útero y su huésped no se encontraron más que algunas reminiscencias a la puerta del incinerador. El cuerpo de Sebastián fue localizado al borde de la azotea, con el rostro enteramente desfigurado, en mitad de un charco de sangre, astillas óseas y restos de masa encefálica. Alrededor del cadáver se aglomeraban como un edicto, nítidamente impregnadas con sangraza al enlosado del piso, las huellas de los cascos de un caballo.

jorge ángel pérez

Transfiguración del bailarín

Terminada la danza, el bailarín y su admirador pudieron conversar. Salieron del teatro y dieron un paseo nocturno por la ciudad. El bailarín comenzó a hablar de la gracia del baile. Aunque basado en la difícil conjugación del esfuerzo y las virtudes, tenía una suerte de apariencia divina. El admirador caminaba encantado al oírlo. Como no quería interrumpir, no se atrevía a preguntar nada y lo dejaba hablar solo. El bailarín mencionaba las limitaciones de la danza: su imposibilidad de vencer la inercia y, por supuesto, la gravedad. Después, para ilustrar parte de su aserto, comparó al bailarín humano con los títeres. Estos seres mecánicos, en su opinión, desafiaban (o quizá superaban) al bailarín de carne y hueso. Tal desafío descansaba en una diferencia entre ambos: el estado de conciencia del hombre y la inconsciencia (o inocencia) de los títeres. Para él la conciencia anulaba la gracia natural humana. El admirador se sentía satisfecho de escuchar a un bailarín que aunaba su destreza física a brillantes paradojas teóricas.

[157]

[158]   Hubiera continuado oyéndolo por el resto de la noche, pero llegó el momento de despedirse.

Tras larga ausencia, y a su regreso, el admirador
indagó por su admirado: supo entonces que había
muerto. En un despliegue de virtuosismo, tratando de
ganar cada vez más altura para anular la gravedad,
el bailarín miró hacia arriba, siguiendo la madeja de
hilos que lo sujetaba, y llegó hasta la identidad de su
manipulador. Sorprendido, y sin poder hacer otra
cosa, este soltó los hilos y el bailarín cayó al suelo,
muriendo instantáneamente.

. Al revisar su cuerpo extinto se conoció que su manipulador y su mecánico fabricante eran la misma
persona. En su talón izquierdo se dejaba ver discretamente una inscripción con el nombre de Heinrich
Von Kleist.

Los muertos

alejandro robles

A *Amparo Fernández Méndez*

la cita

Encontrarse con César Mora en los salones de una funeraria, tejer un diálogo en medio de la opresión de un rito funerario que le era del todo ajeno, empañaría la noche bajo una pátina oscura. César lo llamó para decirle que una joven, cuyo nombre no alcanzó a pronunciar, había muerto repentinamente de la rotura de un aneurisma y ahora debía permanecer allí durante toda la noche. ¿Pero qué otro sitio –dijo no sin ironía– podía ofrecerles en realidad aquella quietud temeraria, reverenciarlos con mayor tranquilidad y silencio? ¿Qué otro evento sobre la tierra podía imponer, además, la obligatoria necesidad del desvelo? Víctor aceptó. Resolvieron encontrarse en la funeraria de Calzada y K unas horas después.

los límites

A través de las enormes hojas de vidrio que defendían la entrada de la funeraria, Víctor vio a la gente descender por las escalinatas interiores como los peces de una cascada. Ascendió la breve escalera de mármol y franqueó las puertas de vidrio. Comprobó, sin asombro, que desde allí podía dominarse el mar entero, ese inmenso castillo demolido cuyas ruinas se habían convertido en arenas acuosas y movientes. Imaginó una inundación repentina que estrangulara de golpe la tierra, imaginó el mar comprimido contra las puertas de vidrio. Imaginó un pez enorme y de plata que cree que lo que está más allá de los límites de vidrio que lo contienen es una prolongación de su realidad. No sabe, no puede saber que hay un límite, porque ese límite es invisible, transparente como la luz. El enorme pez de plata fascinado ante esa otra realidad que lo embriaga, nada con todas su fuerzas para alcanzarla. Las frágiles láminas se quiebran en mil destellos y el pez muere tratando de alcanzar esa otredad que lo fascina. El vidrio, como el alto prisma de los edificios tapizados de espejos que dan la falsa impresión de no interrumpir la normal respiración del espacio, crea siempre un límite con la engañosa ilusión de que no lo hay. Aquellas hojas de vidrio parecían sugerir que no había un límite real entre el inmóvil rito funerario y el incesante rito de afuera.

el desencuentro

César le había dicho que estaría en la sala A. Lo buscó por la funeraria enorme, recorrió las salas, las antesalas, los salones, los corredores, pero no lo halló. Regresó a la sala A y se sentó en un butacón apartado. Había llegado adelantado a su cita. Unas diez personas ocupaban el salón. Dos mujeres, cuya edad no podía precisar, lloraban y se lamentaban a gritos. Frente a él, en el otro extremo, había una joven que parecía no rebasar los veintitrés años. Era muy blanca y de cabellos castaños sobre los hombros, tenía los labios carnosos y los ojos húmedos. La contempló largamente y en silencio. Con un pañuelo contenía discretamente sus lágrimas y las secreciones de su nariz. Esa tristeza la embellecía. Las dos mujeres atravesaron el salón y la miraron con recelo como si les molestara que tratara de ocultar aquello que ellas ostentaban con escandalosa familiaridad. La escena le pareció ridícula, literaria en el peor sentido; pero decidió afiliarse en secreto a la joven que trataba de ocultar su llanto tras el pañuelo. Después, pensó en sentarse a su lado y consolarla, así, cuando César llegara, ya lo encontraría sumido del todo en aquel rito funerario y agotaría además el tiempo de la espera. Ahora las lloronas también lo miraban a él con un desdén que no comprendía, tal vez para borrar de sus rostros esa incómoda expresión de desagrado debía llorar y gritar como ellas, la muerte de alguien cuyo nombre ni siquiera conocía. Cuando se sentó a su lado la joven deslizó el pañuelo por sus mejillas.

—Las lágrimas son el rocío de la pena y tan esenciales como el agua de la vida –dijo Víctor.

—No lloro –replicó la joven– soy alérgica y la humedad de estas paredes me irrita las mucosas y me hace destilar.

—¿Pero no estás aquí velando a un muerto?

—No –respondió.

—Entonces, esperas a alguien.

—¿Te parece este un lugar adecuado para una cita? ¿No te parece un poco siniestro?

—Sí, pero yo espero a un amigo que debe asistir esta noche movido por un compromiso y vine a salvarlo del tedio funerario. Pensé que no tenía la obligatoria necesidad de ser el único.

La joven esbozó una sonrisa.

—Esto me recuerda –agregó Víctor– una antigua fábula oriental. El jardinero real ve en un recodo

de su jardín a la muerte entre rosales negros y cree ver-
le hacer un gesto de amenaza. Movido por el temor
corre al palacio y pide al príncipe su mejor caballo para
huir durante la noche a Isbaján. Hacia el atardecer, el
príncipe convoca a la muerte y le dice: "Esta mañana
encontraste a uno de mis mejores servidores en el jardín y le hiciste un gesto de amenaza". "No fue de amenaza –replicó la muerte– sino de asombro al verlo aún
esta mañana tan distante del sitio de nuestro encuentro, porque mañana en Isbaján es nuestra cita".

La joven rió.

la nueva cita

A una cita ineludible –siguió diciendo Víctor– antecede el
azar y la mala interpretación de un gesto, la simulación
involuntaria, el delirio accidental de un signo. El jardinero no puede pensar en la muerte sin imaginar un gesto
amenazador. Lo que lo seduce, lo que lo arrastra a esa
cita es un ademán mal interpretado. Tampoco yo podría
admirar a una joven en una funeraria conteniendo sus
lágrimas, sin imaginar que no la mueve la tristeza. Lo que
me sedujo, lo que me atrajo entonces, fue la mala interpretación de tus gestos. Tal vez, como en la fábula oriental, mi verdadera cita sea contigo. Si en nuestras vidas ya
todo está determinado de antemano, cada desencuentro
es una despedida y todo encuentro casual una cita.

La joven volvió a reír, pero esta vez su risa quedó
interrumpida por la mirada de las dos mujeres que
pasaron a su lado.

—En realidad aún no sé por qué estás aquí, ni cómo
te llamas.

—Sofía –dijo– y hace tres días que duermo aquí en
la funeraria –lo miró un instante a los ojos y agregó:

—Espero ser recibida en la Oficina de Intereses.

Víctor se quedó mudo.

—Siempre que dormimos en una funeraria, algo de nosotros muere para siempre, muere nuestro último pensamiento, nuestra última palabra, nuestro último gesto.

La joven no contestó.

En efecto, frente a la Funeraria se alzaba el prisma colosal de la Oficina de Intereses de los Estados Unidos. Invariablemente, una servía de espejo referencial a la otra como téseras inconfesadas de un solo mosaico.

El diálogo crecía animoso, Víctor la miraba hablar, tejer una figura invisible en el aire como si tuviera enredada una armoniosa urdimbre de esferas entre los dedos, y por un instante se sintió como el pez contenido por límites de vidrio, embriagado ante la cercanía de esa otra realidad que lo fascina. Nada le impedía tocarla, nada le decía que entre él y aquella joven había un límite que no podía franquear, sin embargo, había un "límite", una barrera invisible que no le permitía alargar su mano, reduciéndolo al espacio de su propio cuerpo. Víctor hubiera querido transgredirlo, pero como el pez de su fábula corría el enorme riesgo de morir intentándolo. La joven le contó que su madre hacia años vivía en los Estados Unidos y que sus dos hermanos habían atravesado el mar en balsa, pero que uno de ellos, el más bello, tan bello como Narciso –aclaró– había muerto ahogado durante la travesía. Víctor la dejaba hablar y miraba su pecho alzarse y descender con el ejercicio de su respiración, veía el dibujo perfecto de sus senos asomarse a través de la tela sedosa de su ropa, vio una gota de sudor perfumado recorrer su cuello y desprenderse traslúcida como el esperma. La joven hablaba con genuina aflicción, con verdadero patetismo, pero

Víctor ya se había perdido en su cuerpo sin escuchar sus palabras.

Bruscamente la interrumpió.

la pregunta sobre el cuerpo

Si hace tres días que duermes aquí, ¿dónde comes? ¿dónde te bañas? Indagar sobre su cuerpo era una manera de tocarla, de acariciarla con el verbo, una manera de desnudarla y develar las aguas que gratificarían su cuerpo.

La joven le dijo que era imposible aspirar, suponer siquiera, que podría comer en algún sitio; una amiga le traía grandes y ardientes cantidades de té y algo de comida. Ese modesto tributo era suficiente para satisfacer su hambre y su sed. Tomaba sus enjuagues fluviales en el baño de la funeraria, pero hoy no había podido cumplir con esa obligación. Su amiga se había retrasado y no tenía quien defendiera las puertas rotas del baño. Víctor se ofreció inmediatamente para servir de celador. La joven lo miró un instante a los ojos y aceptó. Hurgó bajo el enorme butacón y mostró un bolso que Víctor no había sospechado. Atravesaron el salón.

voyeur o el imperio de signos

La puerta del baño sólo era posible entornarla. Desde afuera se escuchaba la música dispersa del agua. Víctor, que hasta ese instante había permanecido de espaldas, miró por la abertura, por aquella grieta que la imperfección le regalaba. Milagro de la conjunción del reflejo, delirio del azar. Encima del lavamanos que servía de fuente a Sofía se conservaban los fragmentos velados de un espejo roto y más arriba los cristales nevados de las ventanas. Sofía debió ignorar esos despojos, pero allí Víctor vio lo que hasta entonces solo había podido imaginar: el impedido torso desnudo. Primero sus manos casi transparentes y mojadas deslizándose sobre el pecho rosado. Después el pecho cubierto por los surcos débiles y desdibujados de la espuma que aclaraban el rosa tenue de sus pezones, la danza suave, casi lasciva de sus manos frotando el vientre, las axilas, el cuello. Una vez más el agua la recorría y las pequeñísimas gotas se prendían en la punta de su seno de piedra lunar. Vio los pezones contraídos por la visita repentina del agua y ya lo alcanzaba un misterio. Pensó que los pezones se contraían no solo cuando los alcanzaba el placer, no sólo en ese instante privilegiado de dicha o de confusión, sino también ante el frío o el dolor, el temor o la inquietud. El éxtasis como la esperanza o el dolor nos permite escapar de nosotros mismos, desprendernos de lo que somos y olvidar los infiernos que viven apagados en nuestra alma. Signos absolutos del éxtasis en la extensión del cuerpo, carnosidad privilegiada que no solo se yergue ante el goce, sino que participa desde su casi hechizada inmovilidad de todas las formas del éxtasis. Ahora Sofía desnudaba el resto de su cuerpo y con mayor dificultad gratificaba con agua clara su sexo oscuro. Era en realidad un espectáculo divinizante. Víctor pensó que el cuerpo solo era capaz de ofrecernos su más hermoso espectáculo cuando desconoce la fascinación secreta de nuestra mirada. Solo así la desnudez se devela como imperio de signos, como significado absoluto del cuerpo y resplandor de la verdad.

.

boquita pintada

Sofía se vistió y salió del baño; había dejado un lago de aguas claras bajo sus pies. Ahora estaba fresca, reluciente, con el borde de su cabello mojado. Tenía los labios pintados. Víctor miro su boca roja y pensó en su doble significado turbador: simetría inversa, doble juego de avance y retroceso. Los labios pintados se ofrecen bajo su mejor máscara, nos tientan bajo su hálito de belleza carnal, pero a la vez nos advierten de su peligro, nos detienen porque anuncian la posibilidad infinita de mancharnos con su colorante artificial desparramado. Después de un silencio, Víctor le dijo que la había visto desnuda a través del espejo roto, pero Sofía no le creyó o no quiso creerle. Volvieron a sus asientos, hablaron de trivialidades y Víctor abandonó por un instante su juego de seducción.

la simulación
Debía llamar a César. Descolgó el tubo del teléfono, depositó una moneda y discó el número, el teléfono parecía no funcionar, intentó otra vez. Puro simulacro que no le devolvía las monedas, máquina que más parecía estar destinada a simular que a funcionar, más a irritar que a complacer. Sintió que todo proliferaba en su propia incoherencia, en su incompletud majestuosa, todo se alimentaba del signo de las cosas y no de su realidad. Decidió salir a caminar. Aquel ambiente fúnebre abrumaba.

las tragedias enclaustradas
Durante el diálogo Sofía le había dicho que se iba para escapar de su muda tragedia y Víctor con inocencia o con humildad había preguntado ¿qué tragedia? y ella sin mirarlo había respondido: Tú sabes.

Aquellas palabras volvieron a repetirse, a resonar en el eco de su memoria, mientras ascendía por las calles desiertas, como si solo en ese instante hubiesen alcanzado su verdadera resonancia. Sofía se había referido a una tragedia muda, silenciosa. Vivimos

–pensó Víctor– una indistinción monstruosa, una aniquilación de la tragedia, una tragedia ahogada, desplazada bajo un engañoso cambio de signo. Así, no hay derecho a la tragedia, no hay sufrimiento gratuito, ni dolor deliberado, sino sacrificio, dolor y sufrimiento a voluntad. Develar la verdadera tragedia, mostrar su rostro más íntimo y ciego, significa descorrer el velo, debía entonces ser recluida en la sombra, condenada al secreto y al mutismo, destinada a la inexistencia y apagar las palabras que la hacen demasiado evidente dentro de lo real. Pero la tragedia no se desliza, no cambia de exponente, no desaparece, sólo se asfixia bajo una máscara falsa. Aun cuando la verdad no fuese más que una superficie. Ahora, bajo ese velo falso y pudoroso que la cubre, se transforma en verdad profunda y descarnada. Primer ahogo de la tragedia que se convierte, a su vez, en una tragedia que también debe ser silenciada. Pero aun cuando decidimos (siempre en secreto) comunicar el fantasma torvo de nuestra tragedia, desprendernos de su secreto amargo, sólo descubrimos a nuestro alrededor espejos serviles y gastados que repiten fieles el mismo fantasma trágico. Segundo ahogo de la tragedia que ya no debe ser develada, porque no la anima el brillo de las confesiones íntimas y no entraña el cuerpo oscuro de las revelaciones ocultas. Era eso tal vez lo que Sofía había querido decir cuando afirmó: "Tú sabes". Así, el secreto obligatorio se hunde en el secreto voluntario que ya por sabido y unánime no debe ser confesado. Inutilidad del secreto sabido, que sin embargo circula.

la muerte

Después pensó que la inserción de la muerte, del rito funerario dentro de la vida corriente la convierte en un desafío, en el límite de todas las ilusiones. Era tal vez lo único real que podía ocurrirnos, y lo real es justamente el fin de toda ilusión. Sólo frente a la muerte volvemos a cuestionar la vida, el cuerpo, la respiración. La muerte es tal vez la más espantosa de todas las naturalezas posibles y por eso Dios la ha reservado para el final. Pensó –mientras ascendía por las calles oscuras que se alargaban como una serpiente de asfalto– que tal vez lo que más nos abruma de la muerte, es la ausencia sin límites, la ausencia irreparable de una presencia absoluta. El cuerpo queda confinado a vagos recuerdos, condenado a fetiches fantasmales, reducido a imágenes que el olvido borra como un rostro trazado en la arena en las márgenes del mar.

Erraba sin abandonar sus cavilaciones, la actitudes frente a la muerte, el largo rito funerario que se extiende durante toda una noche, para prolongar la angustia y el dolor. Ya en las inmediaciones de la funeraria vio a un viejo vociferar para llamar la atención. Estaba mal vestido, tenía los zapatos rotos y el escaso cabello encanecido que cubría su cabeza estaba desordenado. En una mano blandía una botella de bebida y agitaba la otra en el aire como si abofeteara a un fantasma invisible.

el excentricismo

Víctor se quedo mirándolo. Su espectáculo, su ruidosa pantomima era todo un ataque de excentricismo. El excéntrico supone siempre el fantasma de un centro y el de un desplazamiento, una rivalidad, un desafío. Durante siglos la Tierra fue para los hombres el centro absoluto del universo, pero en 1543 un volumen de Copérnico movió, con un solo gesto, todas las ontologías. La Tierra ya no era como la había querido la astrología judiciaria el centro mismo del universo, no era como la ilusión de Pitágoras soñó el centro justo del armonioso enjambre de esferas giratorias, cuya música acompañaba a los hombres como un misterio. El excentricismo era desde entonces una enfermedad, enfermedad convertida en filosofía. La pintura de Caravaggio o de Rembrandt, en contraste con el centro reluciente de los lienzos renacentistas, podía dar fe de esa relación dramática, de esa pérdida del centro como espacio referencial del paisaje. En *La muerte de la virgen*, de Caravaggio el fondo oscurecido no nos deja saber si están en la tierra o en el cielo o si se ocultan bajo el mar. Bastaba examinar la *Lección de anatomía*, de Rembrandt, para percibir la misma oscuridad que vela el espacio. Pero en Rembrandt era aun más dramática la ensoñación de la pérdida, pintaba primero el espacio lleno de luz y lo iba velando, cargando de opacidad hasta hacerlo desaparecer en las sombras para dar testimonio trágico de la pérdida del centro.

Víctor lo miraba actuar y gritar otra vez su nombre reclamando un centro invisible que creía perdido.

—Lucio Fernández, ese es mi nombre –gritaba.

canto v del infierno

Ascendió la breve escalera de mármol que lo separaba de la entrada de la funeraria, pero cuando quiso franquear las puertas, un hombre le cerró el paso y le preguntó el nombre de la persona a quien venía a velar. Víctor se quedó inmóvil.

—¿Cómo que el nombre de la persona que vengo a velar?

—Si no me dice el nombre no puedo dejarlo entrar –dijo el celador uniformado.

—¿Pero cómo es posible? Solo sé que es una joven que murió repentinamente de la rotura de un aneurisma.

La palabra aneurisma lo turbó y estuvo a punto de ceder, pero un instante después se retrajo.

—Lo siento, cumplo órdenes.

Víctor insistió.

—Pero imagine usted que quien muere es la madre de un amigo y que vengo sólo a cumplir con un compromiso, no tengo entonces la obligación de saber su nombre.

—Lo sé —dijo el otro— pero esas son las órdenes que he recibido y no puedo hacer nada si no me dice el nombre.

Víctor comenzó a irritarse, era una extraña mezcla entre portero del infierno dantesco que impide el paso de las almas y la Esfinge tebana que exige la solución de un enigma con una palabra, un nombre. No había en él nada de flexibilidad, sólo la estúpida rigidez de un soldado. Recordó aquella memorable ficción de Kafka del hombre que muere ante la puerta de la ley. Esa ley que estaba hecha para ser transgredida, violada. ¿Pero cómo violarla si el portero era tan inflexible como el celador de las puertas de Kafka?

—¿Pero hay alguna razón especial para que yo no pueda entrar? —interrogó Víctor.

En ese instante acudió en su ayuda otro uniformado y le explicó que a partir de las diez de la noche se prohibía la entrada a la funeraria de quienes ignoraban el nombre de los muertos, para evitar que ocuparan las salas aquellos que esperaban ser recibidos en la Oficina de Intereses. Las protestas de los familiares, que no tenían ninguna necesidad de ofrecer tributo a sus muertos con la presencia de personas desconocidas, eran ya tantas que se habían visto obligados a tomar esa "medida" (esa palabra lo irritó, porque en realidad eran desmedidos).

Algo tenía que hacer, se sentó en los peldaños, ver una vez más a Sofía que era, en realidad, lo único que le importaba.

almas muertas

En ese instante, el vejete excéntrico de pelo revuelto y ropa raída, que había estado vociferado a la entrada de la funeraria, lo llamó con un ademán. Víctor procuró ignorarlo, pero la complicidad de un segundo gesto lo hizo levantarse y avanzar hasta él.

El viejo se apartó como si quisiera evitar la mirada de quienes custodiaban las puertas de vidrio, y le dijo:

—Le vendo el nombre de los muertos. –Hizo una pausa– Lucio Fernández, para servirle –y agregó– si me das cinco pesos, te vendo el nombre de los muertos. Yo vivo muy cerca de aquí y todas las tardes, con mucha discreción, copio cada nombre para venderlo después a quienes vienen a dormir a la funeraria. Aquí todos me conocen y me buscan.

Víctor se quedó mudo.

No toleramos que al simple y habitual sonido de nuestro nombre se vinculen ciertas palabras, la calumnia y la injuria tienen su origen en ese escrupuloso hábito mental. ¿Qué dirían entonces, si llegaran a saber que el nombre de sus familiares muertos estaba vinculado no a la desdicha o al dolor, sino al lucro y al sueño de quienes esperaban ser recibidos en la Oficina de Intereses de los Estados Unidos?

Víctor no salía, no podía salir de su asombro. Entonces recordó a Tchitchikof, el visible protagonista de las páginas de *Almas muertas* de Gogol, que compraba los certificados de nacimiento de siervos muertos y los vendía después en otras tierras como si se tratara de siervos vivos. Tchitchikof era el Diablo que traficaba con el alma de los muertos. Si aquel hombre de estupidez casi perfecta era el portero del Infierno dantesco, ese viejo era el Diablo. Le había dicho que cada noche vendía entre ochenta y noventa nombres, Víctor lo miraba fijamente mientras hablaba, en cada una de sus palabras percibió un regusto por la muerte, una ironía resuelta, un matiz siniestro.

el Diablo o el excentricismo mitológico

En efecto, el viejo mal vestido tenía los bolsillos hinchados, inflamados de dinero. De pronto, Víctor hizo una contracción, un síncopa de su nombre, Lucio Fer-

[171]

nández: *Lucifer*. No cabía duda de que era el Diablo. Pero el excentricismo convenía a su diabólica condición. Lucifer (portador de luz), el más bello de los ángeles de la divinidad, fue expulsado del cielo como la luz invertebrada de un relámpago. Condenado al Infierno, removía el mundo para recuperar el espacio perdido. Desde allí quiso suplantar el centro omnipotente y ubicuo de la insondable divinidad.

Víctor extrajo un billete de cinco pesos. Como si se tratara de una receta de alquimia, el viejo recitó uno tras otro los nombres de los muertos. Víctor necesitaba un nombre de mujer, y escogió el de Paula Hecher que le pareció más adecuado. Antes de que se marchara, el viejo le pidió con una sonrisa que guardara discreción.

—¿Por qué –preguntó Víctor– si esperas discreción vociferas y llamas la atención en la puerta de la funeraria? No soy yo el que te delata, sino tus propios actos.

—Me oculto mostrándome, nadie puede suponer que aquel que ostenta con su presencia, lo que desea, en realidad, es permanecer ausente, en la sombra, en el silencio, en la ilegalidad. Me toman por un borracho o un demente, pero no por el vendedor secreto del nombre de los muertos. Mi escándalo es estrategia, máscara. Pero el riesgo que corro es grande, probablemente sea esta mi última noche.

Víctor sin hablar asintió con un gesto y entró.

los ideólogos o los muertos simbólicos

La funeraria estaba repleta, pero no halló a César. Decidió buscar a Sofía. Entró en la sala A y la encontró dormida en un rincón apartado y en penumbras. Ahora, también Sofía lo abandonaba abandonándose al sueño. Todo se frustraba o se detenía, todo era deliberadamente infernal, caótico. Víctor contemplaba a aquellos que esperaban ser recibidos en la Oficina de Intereses, escuchaba su susurro sordo crecer, agigantarse y pensó que, sin saberlo, urdían un símbolo, una hipérbole cifrada. Y sus cuerpos parecían asumir el vértigo de una metamorfosis secreta, el espejismo fabulador de una metáfora, peor aún, asumían el cuerpo opaco de la metástasis. Metáforas tal vez mucho más profundas y alusivas de lo que el pretexto de aquellas circunstancias le obligaba engañosamente a confesar. Víctor pensaba en el exilio, en la historia de las grandes migraciones políticas, en el éxodo del pueblo de Israel y en la tierra prometida. Emigrar a los Estados Unidos podía ser la más profunda de las traiciones, incluso la más profunda y segura de las muertes. ¿Cuántas veces (y esas palabras resonaban en el fondo oscuro de su memoria) no había escuchado decir ante la emigración de un familiar o de un amigo: "Para mi murió"?

Meras consignas que reducen el pensamiento a incómodas ecuaciones verbales. ¿Y cuántos otros, por temor a ser reprimidos, a ser señalados, enterraban a sus familiares en ese exilio brusco que los iba afantasmando hasta sumirlos en el olvido? Lo simbólico era más terrible que lo real. Despedirse de alguien que ha muerto puede ser amargo, pero es sin duda más espantoso despedirse para siempre de alguien que está vivo. Confinarlo a la muerte, a la desaparición, al sueño, a lo invisible. Subvertir el sentido de lo real para ahogarlos en la sombra. Y aun ahora que era posible restablecer esa comunicación fantasmal, que antes les estuvo vedada, para muchos ya era imposible, ya no tenía sentido desenterrar a esos muertos que habían confinado a la sombra por ejercicio simultáneo del silencio y la sordera. El sueño es el hermano de la muerte, había dicho Homero. Venían a dormir entre muertos, a dormir en el espacio ritual de la muerte. El exilio y el sueño, doble camino de semejanzas que los emparentaba. Y así, sumidos en esa muerte profunda, desprenderían también el fuego fatuo de sus cuerpos, ese recuerdo fugaz y luminoso de los muertos, que solo es posible distinguir en el centro mismo de la oscuridad y que después se extingue en medio de la noche tan oscura como la desesperanza y más oscura que la desesperación.

aguas oscuras o los muertos reales

Pero también el exilio participaba de la muerte real. Recordó que uno de los hermanos de Sofía, como tantos otros, había muerto ahogado tratando de alcanzar las costas de los Estados Unidos. Para los celtas el nacimiento de un hombre está unido a lo germinativo, al árbol y era necesario que lo acompañara también en la muerte. Cuando el hombre moría, el tronco del árbol era ahuecado y servía de sepulcro. Vuelto a colocar en el corazón del vegetal era liberado a las corrientes del mar encargadas de transportarlo a la muerte. Todtenbaum (árbol de muerte) es su nombre técnico. Víctor pensó que ninguna necesidad legitimaba el enorme riesgo de lanzarse a las aguas. Para enfrentarse a las corrientes del mar se necesitan intereses quiméricos o rituales. Los intereses que se sueñan y no los que se piensan. El héroe del mar es un héroe de la muerte y del sueño. ¿No era acaso un interés quimérico el que había lanzado al mar al hermano muerto de Sofía? ¿No eran navegantes que se proponían atravesar la muerte vivos, como Ulises resistió en el mar el canto mortal y seductor de las sirenas? Entonces pensó en Shakespeare. Shakespeare había creado la figura de Ofelia, ese arquetipo cuya demencia le hace buscar la muerte en las aguas; después en la nave de Aqueronte y aun en la nave de los locos que eran arrojados al mar en busca de la Razón perdida. Pensó que esas figuras bien podían cifrar el sueño de quienes corrían el desesperado riesgo de lanzarse a las aguas. Las aguas que median entre Cuba y los Estados Unidos han dejado de ser las aguas transparentes y tranquilas del trópico para convertirse en las aguas muertas de Poe, aguas cuya materia viscosa y oscura parece alimentarse de la muerte. Las aguas se han "Ofelizado", se han "Poetizado", poetizado en el peor sentido. El adiós, al borde del mar, es a la vez el más patético y literario de los adioses. El éxodo bíblico, el éxodo de Israel a la tierra prometida. Las aguas abiertas por un ademán de Moisés son el reverso de estas aguas que se resisten a ser vencidas. Víctor sintió mareo, delirio, malestar. Entró en el baño y se mojó la cara. Buscó intuitivamente el espejo, pero sólo se conservaban los fragmentos velados de un espejo roto. Trató de mirarse, pero el espejo miraba hacia afuera. Quieres verte, pero no te ves. Allí donde no hay espejo, no hay estadío humano. Estaba en el Infierno, como Dante atravesaba la muerte vivo. Hizo un esfuerzo y encontró al fin su rostro en el espejo, lo vio fragmentado, disperso, monstruoso, como si sus rasgos trataran de tejer allí una nueva relación. ¿Qué quería decirle aquel artificio de la ilusión, aquel espejo roto? Sugería acaso que tenía razón en mirar también el resto de otra manera, quería afirmar, confesar en silencio que no estaba ante una situación casual, sino ante un profundo contrapunto alusivo. Pronto amanecería. No podía más, comenzó a sudar.

final presto con Rembrandt

La funeraria era un hervidero de muertos reales y simbólicos. Salió. Afuera la gente se congregaba; se acercó. Bajo la luz de un farol estaba tendido el cuerpo de Lucio Fernández. Lo habían despojado de la ropa que cubría su torso y uno de los hombres que lo rodeaba, sosteniendo su muñeca izquierda, trataba de hallar el pulso apagado de su sangre. Lucio había muerto repentinamente de un ataque cardiaco. Lucio, que vendía el nombre de los muertos, había muerto. El armónico conjunto de personas que lo rodeaban le hicieron recordar una vez más el famoso lienzo de Rembrandt *Lección de anatomía*. Paradójico, cínico destino. La escena de la muerte de un ex–céntrico recordaba la imagen historiada por un pintor que había dado al mundo el testimonio trágico de la pérdida del centro. Víctor lo miró con fijeza. En sus ojos muertos había un fulgor maléfico, en su sonrisa una mueca diabólica. Lucio no había muerto, era un simulacro del Diablo. Contempló la escena de Rembrandt durante algunos segundos y se alejó, mareado. La muerte de Lucio reforzaba ahora el amargo sabor de esa pesadilla, era el fin. Corona erizada de simulacros que se posternaban ante la muerte. En ese instante, vio acercarse a César, que enarbolaba penosas justificaciones que Victor no escuchó o no quiso escuchar. Una sola palabra articuló Víctor:

—Vámonos.

Sentía opresión, no encontraba su voz. De una sola cosa estaba seguro. Si aquellos que promulgaban inaplazables muertes simbólicas hubiesen sospechado aquellas metáforas que gravitaban sobre él con una impresión, con un malestar casi físico, no les impedirían dormir en la funeraria, no los expulsarían, sino que los obligarían a dormir en ella cada noche para que se fuesen acostumbrando a esa muerte silenciosa que se adelanta en lo invisible.

Por un instante infinito, Víctor volvió la mirada a la penosa escena de Rembrandt y pensó que tal vez Lucio había muerto del todo, tan desolado como cualquier otro hombre. Allí estaba ahora, tendido sobre la calle, enmudecido y cegado por la muerte, pero no sabía, no podía saber que había muerto para que los demás cumplieran su destino, para garantizar una noche más el sueño de los muertos, el sueño del exilio, porque a la noche siguiente antes de entrar, antes de sumirse definitivamente en el sueño, como un conjuro mágico que les abriría de golpe las puertas, pronunciarían un solo nombre: Lucio Fernández.

aymara aymerich

La mujer
del espejo de la columna

Diego me halló una hora después, pero aún la música inundaba cada rincón, creo. Yo lo había preparado todo minuciosamente y la música dejaría de escucharse casi tres horas más tarde, al amanecer. Sí, la música aún sonaba una hora después. Cuando Diego me halló eran Los Beatles, creo; Real Love, creo. Ahora es más confusa la memoria. El mundo se percibe igual, pero es más confusa la memoria. No, igual no, el mundo se percibe indecente, escandalosamente nítido, real, pero todo se fusiona en una avalancha de luz. Una luz que no lastima porque es la esencia de la luz. Los recuerdos se rompen en fragmentos de luz y los fragmentos en partículas y así, hasta que se disuelven totalmente los recuerdos y resulta complejo concatenarlos y cualquier evidencia parece improbable. Esto, en consecuencia, puede ser mentira, pero sí me había preparado minuciosamente y puesto en orden todo. Puede ser mentira, pero a Diego no lo había preparado y dejé la música con mucho volumen. Luego me senté sobre la alfombra, creo, frente a la puerta, esperándolo. Apareció muy cansado una hora después y no me vio sobre la alfombra, pero sí miraba mi cuerpo. Miraba mi barbilla encajada entre el escote de algún vestido floreado y mi carne. Miraba mi cuerpo en el espacio, y la imagen de mi cuerpo en el espacio reflejado en el espejo de la columna, y caía él mismo sobre sus rodillas, sobre la alfombra. Yo permanecí sentada todo el tiempo, debajo de mi cuerpo y frente a Diego, los dos sobre la alfombra. Seguramente venía muy cansado porque a mí no me vio. La alfombra era un recuerdo importante y era de unos arabescos lóbregos que debieron de ser lindos, pero no recuerdo. Tampoco recuerdo por qué era la alfombra un recuerdo importante. Quizás no lo fuera. Quizás he olvidado las cosas importantes y las triviales y todo esto es mentira, aunque yo hubiera querido amarme con Diego sobre una alfombra tan linda. Quizás Diego me amó ese instante, arrodillado en la alfombra y mirando mi cuerpo. Quizás no, porque lloraba, y quizás he olvidado si es posible amar mientras se llora. También podía ser que la música tronaba demasiado insoportable, Los Beatles, creo, Real Love, como si brotara de cada rincón. A Diego le incomodaba bastante la música tan alta, o era a mí, no recuerdo, pero me conmovió el llanto de mi hombre, el desplome de mi hombre. Es hermoso que los hombres lloren así, como si nadie los viera. Esto acaso es mentira porque a mí los hombres nunca me agradaron, o fue Diego el único. Creo que antes de prepararlo todo minuciosamente traje a una mujer y la senté en la alfombra. Sí, era una mujer ingeniosa que me sonreía y yo la traje y la senté en la alfombra, pero más cerca de mí. Era ingeniosa o ingenua o las dos o ninguna. Era tremenda mujer, creo, aunque tampoco me agradaban las mujeres. Ni hombres, ni mujeres, ni nada. No me agradaba nada, creo, sólo Diego. Quizás no era Diego su nombre, tal vez sí,

[179]

y tal vez me gustaran los hombres y las mujeres y todo. Es difícil carecer de evidencias y recordar poco. Ahora hay una luz que es la esencia de la luz que me quiebra en fragmentos que se quiebran en partículas y así, hasta que me permite regresar a la escena de la alfombra y el hombre que me sugiere a Diego. Llora mucho frente a mí, todavía arrodillado y debajo de mi cuerpo. Se lamenta, como oficiando un culto, de algo que no entiendo o no recuerdo. El hombre, que debe ser Diego, se incorpora y me abraza el cuerpo, lo aprieta fuerte sin detener su llanto. Me gusta suponer que ese hombre es Diego porque siempre recibo feliz su abrazo en mi cuerpo, creo. El hombre, que debe ser Diego, explora mi cuerpo vertical en el espacio y nombra a alguien que debo ser yo. Lo explora detalladamente y piensa que estoy levitando. Ambos sabemos que es absurdo, pero él piensa así para defenderse, para compartir su porción de culpa, además, piensa así por breve tiempo. Creo que esto acontece ahora, pues lo recibo con suficiente limpieza y de otro modo lo habría olvidado, aunque acaso es mentira. El hombre que abraza mi cuerpo y que debe ser Diego es quizás la mujer que conversaba conmigo en la alfombra, no alcanzo a diferenciarlos puntualmente. Ella se dejó conducir muy dócil y en la alfombra me habló muchísimo de Diego, pero no distingo si era ella hablando de Diego o Diego hablando de sí mismo. Esto sucedió algo más temprano y puede ser incierto. Presumo que a Diego no le complacía escucharse a sí mismo, comentarse a sí mismo, ni comunicarse en general. Por ello deduzco que fue aquella mujer que alcancé en la calle y reposó en mi alfombra. Por ello deduzco que es Diego quien estrecha mi cuerpo contra el suyo, mi cuerpo que ha perdido gran temperatura, contra el suyo que es confortable y ebulle. Cuerpo mío que Diego destraba cuidadosamente y coloca también sobre la alfombra, frente a mí, entre él y yo. Cuerpo torpe mío que Diego frota con eterna paciencia, con dolor y humildad, creo. Sustancia no maleable que Diego desnuda despacio. Él desnuda mi cuerpo y yo me avergüenzo de presenciar un acto supremo. Me avergüenzo por primera vez de mi cuerpo desnudo ante Diego, pero soy espectadora por primera vez de cómo Diego me desnuda el cuerpo. Huele el vestido floreado y acaricia aquel cuerpo que es mío con aquella ropa que es mía, y llora. Resopla el cuerpo y lo acaricia y lo besa repetidamente. Yo me pregunto a qué huele mi piel y creo que es a alfombra, a la mujer que traje que olía a Diego. Me aproximo a mi piel pero sólo respiro una luz inolora que es la esencia de la luz. Diego se aproxima tanto que cubre mi cuerpo con el suyo, como ciertamente aquella mujer cubrió mi cuerpo algo más temprano. Ella me cubría el cuerpo, dijo, como mismo Diego cubría su cuerpo cada noche, y entonces habló mucho de Diego y de mí, de Diego y de ella, de ella y de mí, creo. Yo me asusté y estuve quieta y frágil, pero ella me besaba indetenible y yo estuve quieta y frágil y asustada hasta que distanciamos los cuerpos muy sudados. Los dos cuerpos que jadeaban antes de distanciarse y olían a una sola mujer. Esto pudo ocurrir en cualquier momento o no ocurrir jamás. La luz me retorna sospechosa la memoria, pero creo que ha ocurrido con frecuencia durante varios meses. Ahora, sólo Diego y mi cuerpo envuelto por Diego son precisos. Estoy más quieta y frágil, pero no asustada, pues disfruto que Diego me ame el cuerpo sobre una alfombra tan linda. Disfruto a Diego que hierve en mi cuerpo entumecido, buscando mi lengua insistentemente. Diego está en la gelidez de mi cuerpo, en la sequedad de mi cuerpo. Está adentrado en mi cuerpo rígido y lo embiste con su pelvis y gime y nombra a alguien que debo ser yo o aquella mujer que puso en mí el olor de

[182] sus hormonas, y llora como si nadie lo viera. Yo lo disfruto a él, pero no envidio mi cuerpo, creo, pues me asienta fragmentarme en luz y carecer de cualquier evidencia que atestigüe mi vida. Diego parece agotado sobre la alfombra que esconde al espejo del suelo, parece agotada su imagen en el espejo del techo. Ahora dormita junto a mí, más lejos de mi cuerpo sobre la alfombra, y aún más del reflejo de mi cuerpo levitando erguido, condenado eternamente en el espejo de la columna. Yo me integro a la luz, a su esencia, me integro a la música que va cediendo al día, aunque ya no consiga integrarme a mi cuerpo. Acaso todo es mentira, pero eran Los Beatles, creo; Real Love, creo.

lorenzo lunar

Disles
que no me maten

Es probable que usted no haya leído mi primera novela policiaca. La tirada fue apenas de dos mil ejemplares y eso, en un país donde todo el mundo sabe leer y escribir, es apenas una gota de agua en el mar; sobre todo si se tiene en cuenta que me gasté todo el dinero de mis derechos de autor en comprar la edición casi completa. Esto de comprar gran cantidad de ejemplares lo hice con un noble objetivo: llevar el libro al público a quien en realidad estaba dirigido. Me daba lástima ver mi novela, tan linda, con su encuadernación en cartulina cromada y todo cuento, en medio de la Feria del Libro, pasando inadvertida ante las miradas de los turistas indiferentes. Como la trama ocurre en los bajos fondos de un barrio marginal de mi ciudad, decidí llevar a la práctica eso que alguna gente dice hacer desde una oficina y a lo que han puesto el nombre de Cultura Comunitaria. Y me fui con mi novela al barrio. Una tarde me senté en la esquina más concurrida y me aventuré a leerle algunos fragmentos a un grupo de muchachos que bebían algo que según supe después era aguardiente hecha a partir de miel de purga fermentada con mierda de niño chiquito. Me fue algo difícil sacarlos del sano entretenimiento que encontraban en el juego de la chapa, sin embargo, cuando logré leerles el primer fragmento se entusiasmaron tanto que insistieron en que les dejara el libro que llevaba conmigo a cambio de un litro de aquella bebida exótica. "Pa' que se inspire, asere", me dijo uno que parecía ser el líder del grupo porque convenió conmigo la presentación de la novela la tarde siguiente en el mismo lugar. "Yo me ocupo de la promoción", aseguró, "y al que no venga de la gente que yo invite le rompo el culo a patadas, no se preocupe."

La tarde siguiente, cuando llegué a la esquina, me sorprendió un molote de gente que se disputaba un lugar lo más cerca posible del poste donde ocupaban una evidente presidencia los muchachos que la tarde anterior habían estado conversando y bebiendo conmigo. "No se preocupe, escritor, todo está organizado", me dijo Dignoser, que así se llamaba el líder del grupo. "¿Trajo los libros?"

—Traje cinco o seis –le dije.

—Con eso no alcanza para el lanzamiento.

—¿Lanzamiento?

—Claro, ¿no es así como se le dice a cuando se vende un libro?

—Sí... – contesté y miré al molote que se revolvía ante mi presencia.

—¡Con orden, caballero! ¡Con orden que la gente que está rectificando la cola aquí desde por la mañana no se va a quedar sin ná! –gritó una negra con tipo de campeona panamericana de lanzamiento de la bala, con unas chancletas aplastadas por el excesivo peso y el excesivo uso y los calcañales más sucios que la conciencia de Poncio Pilatos.

—El tipo trae nada más que siete libritos de mierda –exclamó decepcionado un maricón con siete collares de santería al cuello, y el molote volvió a revolverse como una anaconda después de zamparse un toro.

Yo pedí calma a la multitud que respetuosamente se organizó al escuchar mi voz.

—Voy a mi casa a buscar más –dije.

Un rubio alto, sin dientes, con la camiseta rota y peor aspecto que un músico de heavy metal se adelantó a decirme algo, pero Dignoser lo detuvo con un gesto de su mano.

—Tiene media hora, escritor –me dijo con solemnidad y yo supe que de mi puntualidad dependía no solo el prestigio del muchacho en el barrio sino también mi integridad física.

Solté el bofe en la bicicleta, pero a los veinte minutos ya estaba de regreso con cien ejemplares de mi exitosa novela. Otros veinte minutos más tarde regresaba a mi casa sin un sólo libro. En el bolsillo tres dólares y cincuenta pesos cubanos y amarrados a diferentes partes de mi bicicleta dos mazos de lechuga, una cabeza de puerco, dos jabones Lux, un pomo de champú por la mitad, tres botellas del aguardiente de marras y un jarrón de porcelana china de la dinastía Ming con su chapilla de inventario del Museo de Artes Decorativas. Comparado con los derechos de autor era un buen negocio. Además, mi novela había caído en manos de su verdadero público.

Pero la historia no concluye aquí. Reencontrarme con un barrio parecido al de mi infancia, cuyos recuerdos me habían servido para la construcción de mi primer libro, era toda una tentación. Las buenas relaciones que había establecido con Dignoser y sus amigos me permitían conversar con personajes de tremendo colorido y, quizás, hasta encontrar historias que me ayudaran a acometer una segunda novela más veraz que la recién concluida. Qué lejos estaba yo de imaginar el precio que habría de pagar.

Comencé a darme cuenta cuando noté que a Dignoser ahora lo llamaban en el grupo por el nombre de Gravilla. Gravilla era el bautismo de uno de los delincuentes de mi primera novela. Pero aquello era solamente un botón de muestra; poco a poco fui conociendo personalmente a cada uno de los personajes que yo había creado: Pedro Pechoemulo, Chago el Buey, Frank la Puerca, El Puchy, Pedrusco el Rey del Brillo y El Gordillo acudían a la esquina cuando yo visitaba el barrio a compartir conmigo el aguardiente. Increíble era la manera en que habían encarnado mis personajes, baste decirles que El Gordillo, que antes se llamaba Robin Díaz Hurtado, engordó más de quince libras para asumir su personaje y eso le costó que su novia lo dejara. Sin embargo, él sentía que el sacrificio quedaba recompensado; era famoso, su nuevo nombre aparecía en un libro.

Y esto solamente fue el inicio. Como mi objetivo fundamental era escribir otra novela, tuve la infausta idea de discutir la trama con mis nuevos amigos en la esquina. El asunto se basaba en una serie de crímenes que ocurrían después de un robo de gafas en un almacén de una corporación. La policía debía localizar la mercancía en el barrio a través de un informante y ahí comenzaba la investigación. Lo que nunca imaginé fue que al día siguiente de haberle expuesto la idea a mis amigos tuviera lugar un robo idéntico en los almacenes de la TRD de la ciudad. Coincidencia, pensé.

Otra tarde tuve una penosa discusión con El Gordillo. No aceptaba la condición de informante que yo le quería imponer en mi proyecto de libro y armó un tremendo escándalo en la esquina; hasta quería fajarse conmigo, porque eso de chivato no le servía a él. Dignoser, es decir, Gravilla intervino a mi favor y entre él y el Puchy le dieron una mano de patadas al Gordillo por chivato y por traste y le prohibieron que volviera por la esquina. Aquella noche el complejo de culpa no me dejó dormir.

La tarde siguiente llegué temprano a la esquina. Todavía no estaba ninguno de los muchachos, pero me esperaba Leonardo, el jefe del sector de la policía del barrio. Era un joven de treinta y tantos años, igual que el personaje de mi novela, de hablar pausado y buenos modales como mi héroe. Su verdadero nombre era Raúl, pero ustedes ya saben.

—Vamos a hablar de hombre a hombre, escritor –me dijo.

—¿Qué es lo que pasa?

—Como verá, me encuentro en una situación muy difícil. Tengo que actuar y en este enredo hay dos o tres *socios* de aquí del barrio. El Puchy, por ejemplo, es como mi hermano, estuvimos juntos en Angola antes de hacerme policía y todo eso que usted sabe. Yo sé que él tiene que ver con esto y anda huyéndome... También me preocupa lo de Pechoemulo.

—¿Qué pasa con Pechoemulo?

—El cadáver no aparece.

—¡El cadáver!

—Claro, el cadáver. Se supone que lo hayan asesinado. Si Chago el Buey es el que tiene las gafas y Pechoemulo lo sabe y quiere joderlo en el negocio, es lógico que lo mate... Claro que eso no lo va a hacer el mismo Chago, él sabe cuidarse. Seguramente va a usar a alguna de sus gentes... No, al Gordillo no, ese es un infeliz que hasta yo le saco información y lo que hace es enredarse cada vez más con Chago y su grupo... Pero... Chago puede usar a Tanganica. Tanganica acaba de salir de la cárcel y es incondicional de Chago el Buey. Además, en el barrio se comenta que estando él allá adentro, Pechoemulo andaba con su mujer, Mabel la Rubia, ¡tremendo cuero!

[187]

¡Todo un argumento! La verdadera solución para mi novela. Yo había soltado la idea y los personajes se me habían ido de las manos. Eso cuando ocurre en la hoja de papel es magnífico, pero cuando la creación literaria y la realidad se revuelven una con la otra, y la vida de un hombre está en juego, ya es harina de otro costal. Sin embargo, a Leonardo no parecía importarle nada la tragedia. Él estaba en lo suyo, y para él y para todo el barrio, si Pedro Pechoemulo no estaba muerto, le faltaba poco.

Traté de explicarle que todo aquello era una locura, que había que hacer algo para detenerlo.

—Detenerlo, sí, –me dijo– hay que detenerlo. Voy para la Unidad de la Policía a buscar una orden de detención a nombre de Inocente Ascuy, alias Tanganica... Ese tiene que ser el asesino –y me dejó solo en la esquina.

Los muchachos no aparecieron aquella tarde. Cuando la cosa se pone mala en el barrio es normal que todo el mundo se pierda. Casi era de noche cuando decidí volver a mi casa. Deseaba con toda el alma un trago de aguardiente y allá todavía me quedaba un poco del que había negociado por mis libros. Al pasar frente a la casa del maceta del barrio, o sea Chago el Buey, vi salir a un negro grandísimo vistiendo un pitusa y camiseta azul, tenía un collar de cuentas blancas y rojas en el cuello y la barba arreglada en forma de candado. Me saludó con un gesto y una sonrisa malévola.

Mi primer impulso al llegar a la casa fue deshacerme de la novela. Romperla, quemarla, desaparecerla.

No podía convertirme en un asesino a través de mi literatura. Decidí darle una última lectura antes de hacerlo, pero cuando terminé me di cuenta de que no podía. Hubiera sido otro crimen. Tenía una excelente novela y Leonardo me había dado la solución perfecta de la trama. Traté de reconciliarme con mi conciencia pensando que lo que sucedía en el barrio no eran más que coincidencias de la vida y que si aquello tenía que ver con mi novela no era por mi culpa; eran ellos quienes habían decidido asumirlo así. El conflicto interno fue una batalla difícil, pero hay momentos en la vida de los hombres en que deben tomarse determinaciones crueles. Era mi novela y no iba a ceder por un muertecito más o menos. Y no cedí. No cedí ni cuando aquella noche se apareció Pedro Pechoemulo a la puerta de mi casa a pedir clemencia.

—¡Disles que no me maten, escritor! Anda, vete a decirles eso. Que por caridad. Disles así. Disles que lo hagan por caridad.

—No puedo. Chago el Buey no quiere saber nada de ti.

—Tú sí puedes, escritor. Puedes decirles que eso no es así. Haz que te oigan. Tú tienes tus mañas. Disles que ya con este susto está bueno.

—No se trata de sustos, parece que te van a matar de verdad. Y yo no quiero volver más allá.

—Anda, escritor, disles que tengan un poquito de lástima de mí.

—Vete –le dije.

—Yo le puedo pagar a Chago, yo le puedo pagar. La cosa puede ser así.

—Ya no hay remedio –le dije y cerré la puerta.

Debió quedarse un rato ahí parado. Quizás antes de irse al bar escuchó el tecleo de mi máquina de escribir.

—Ponme otro doble –dijo Pechoemulo al dependiente. El hombre lo miró indeciso. Pedro Pechoemulo estaba bien borracho.

—Sírvele, que se emborrache más. Que beba todo lo que le dé la gana –le dijo el negro grande, y se pasó la mano por la barba cuidadosamente recortada a manera de candado.

Pedro Pechoemulo terminó el último trago de su vida y salió del bar dando tumbos. Tanganica le siguió los pasos. Cuando entraron al barrio, por un callejón oscuro y estrecho, Pechoemulo cayó arrodillado sobre el asfalto. Tanganica lo sintió llorar.

— Por favor, Tanga, mírame, yo ya no valgo nada. ¡No me mates!

El negro se inclinó sobre él y le abrazó el cuello. Luego hizo un gesto breve y se oyó un chasquido.

Leonardo lo encontró arrinconado al pie del poste de la esquina. Por fin se había apaciguado.

— No tendrá nadie que lo extrañe –dijo bajito. Después se montó en su bicicleta y salió a buscar un teléfono.

carlos esquivel

El negro
y el rojo

El extranjero puso su bolso a mi lado y, luego, pidió permiso para sentarse. Sacó con aridez, y casi anunciándomelo, un periódico en italiano. También el boletín para cuando llegara la ferromoza. El tren comenzaba a atravesar la ciudad.

El cubano que está junto a mi asiento intenta leer mi periódico; un periódico atrasado, pero, acaso, para ellos más importante y actual que sus periódicos. De todos modos es la crisis. Debo enfrentar las diferencias, confrontarlas pero no ponerlas ante los ojos. El coche tiene mal olor, y los vendedores, sucios y bulliciosos, invaden la poca soledad que necesito. No compro nada de eso, no me interesa, intento explicarles, contrario a ellos, sin lástima.

El extranjero compra algún dulce y luego lo lanza bajo el asiento. De esa forma ahuyenta a los vendedores. En el periódico que lee hay algo sobre la Liga Italiana de Fútbol: algo del Parma o la Fiorentina, Baggio o Batistuta, no sé; hojea rápido, mecánicamente, presumo. El periódico tiene un mes de atraso, [191] pero es mejor que el *Granma*, querré advertirle. El tren es lento pero llegará a tiempo a La Habana.

El cubano mira constantemente su reloj. El tren es lento pero sé que llegará a tiempo a La Habana. Tiene catorce horas para eso; si no, pierdo el avión. Martha es todo lo que complementará este viaje. La locura, yo lo sé, pero también el encuentro con una parte de mí que ya se había ido.

El extranjero saca de su bolso una foto. Una jineterita de mierda, lo apuesto. Él debe llevarle treinta años o más. Trato de leer la dedicatoria que revisa con detenimiento, con nostalgia, puedo adivinar. Está en italiano. Hasta las putas saben idiomas en este país. La necesidad nos hace aprender, me dijo la Filosofía. Las escuelas no enseñan eso. El coche no apaga las luces y casi es preferible obligarse a la lectura para que entre el sueño.

El cubano busca en una bolsa de nailon y extrae un libro. Lee con obligada e histérica respiración. Hart Crane. *Poemas escogidos*. Un poeta norteamericano o canadiense. No me da tiempo a recordar, aunque de esas cosas no conozco mucho. La poesía siempre me ha parecido forzosa, a veces terrible. Despreciable.

El extranjero está siguiendo mi lectura. Quizá le interese la poesía. Hart Crane es un desconocido para los europeos, incluso, también para nosotros. Claro, que a partir de mañana cambiará todo. La culpa, en primer lugar, vendrá a la gloria de Teresiano, que ha descubierto la tumba del poeta en un viejo y roído panteón familiar de Gerona. En segundo lugar, la culpa vendrá a mi gloria, porque yo lo daré a conocer al mundo. Hart Crane dejará de ser una alucinación o una cantiga para su generación extraviada. Ni Lowell, Wallace Stevens, Cumming o Ezra Pound, tuvieron el impulso flameante y lírico de Hart.

El cubano trata de empujar su maldito libro a mis ojos. Con algo siempre quieren comprarte. O una mujer, o una casa que sale más barata que la habitación de un hotel, o un carro donde empujar tu tortura y tu publicidad por el pueblo. O un libro. Pero a mí no me gusta la Poesía, y si me gustara preferiría a mis poetas, a los de mi país.

El extranjero cierra los ojos y se obliga a dormir. Lo sé porque aprieta los párpados con aturdimiento, como si contara ovejas interminables. Pero al parecer corren convulsivamente y desaparecen en su paisaje. Una muchacha se detiene al descubrirlo. Viste como todas las prostitutas. Un pequeño bolso pende de su espalda. *I like English men*, dice, desparramadamente, a mi oreja.

El cubano le dice a la muchacha que no tiene ninguna relación conmigo, pero que, a pesar de eso, y para aclararle, yo le huelo a italiano y no a inglés. Ellos ignorarán que aprendí el español en un curso de vídeos seriados.

El extranjero me habla (a mí, aunque la muchacha estuviese a mi lado). Es francés, se llama Henry Beyle, pero vive en Italia desde el 62. Nuestro idioma lo conoce hace cinco años.

El cubano obliga a la muchacha a irse. No lo hace con la voz pero lo insinúa con los gestos y con un chasquido de las manos. Le doy gracias por librarme de ella. El cubano me pregunta que si voy hasta La Habana.

El extranjero responde que va a Gerona. Lo espera una muchacha que llevará cuatro días después a Sicilia, donde vive y trabaja.

El cubano me ha dicho que vive en el oriente de Cuba, que va, igual que yo, hasta Gerona, pero para encontrarse con un poeta norteamericano que vivió en la Isla de Pinos. Será un acontecimiento, me relata y sobran sus emociones.

El extranjero pertenece al Partido Comunista Italiano, filiación que le ha llevado varias enemistades. Ha huido de todo: grupos ecologistas, manifiestos anti-xenofobia, programas para la ambientación rural y el

[193]

cambio, sindicatos feministas, movimientos para la preservación y el cuidado de los animales, y otros, asegura, casi en el justo momento de apagar la luz.

El cubano no pertenece al Partido. Es extraño, pero él prefiere no hablar de eso. Es mejor soñar ahora que quitaron la luz.

El cubano y el extranjero duermen. El tren ha sufrido una avería importante. Odio las conexiones del idioma. Dije, el tren ha sufrido, como si el sufrimiento no fuese una particularidad animal y se extendiese ahora a la atrofia del objeto. El tren estará seis horas roto. A cada rato enciendo la linterna y recorro el vagón para cerciorarme de que los pasajeros duermen, piensan o se abrazan. Me detengo ante los dos, y es el cubano quien me pregunta qué pasa. Le explico. El otro empuja el cuerpo hacia un lateral del sillón y creo que maldice, en secreto, pero lo hace en algún idioma extraño para mí. El cubano me dice que perderá el vuelo de una avión para Gerona. Tiene que ver la tumba de un poeta famoso, pues nadie sabe que está enterrado allí. El extranjero solloza antes de explicarme que perderá ese mismo avión y el encuentro con una muchacha que lo espera también en Gerona, para después irse juntos a Italia. Ambos están consternados. Seis horas, les digo, condicionándolo todo a un pobre efecto psicológico. El mundo no se va a acabar por seis horas.

El extranjero conoció a Martha en La Habana. De eso hace ocho meses, y ahora ha venido por segunda vez con la idea de llevársela. No importa lo que diga su familia, ni siquiera lo que piense Martha. Le importa él, gozar, y si el dinero compra eso, pues a gastarlo. Ella es casi mulata, su pelo se ensortija y cae sobre los hombros y el cuerpo.

El cubano es poeta. Ha escrito un libro donde no esconde sus influencias, mojadas, dice, por el terciopelo y la sangre de los poetas norteamericanos. Los Modernistas. Sé que hace énfasis en eso, aunque a mi sólo me importe creer, con lástima, que la poesía sigue siendo insustancial y empalagosa.

El extranjero sigue alabando a Martha. Habría dado todo el dinero del mundo por esa puta barata. Apenas llegue a Italia se le va con otro, o con otra. En el 90 % de los casos es así. Las estadísticas son despectivas y fieles. Voy al baño, cuando las ganas de orinar se hacen insoportables, y entro, equivocadamente, en el de mujeres.

El cubano ha ido al baño. El tren sigue abandonado en la oscuridad de esta noche todavía trunca.

El extranjero no imaginará que me encontraré a una prostituta masturbándose, contorsionada por pequeños y dramáticos silbidos y un jadeo insoportablemente artificial. Se sorprende, nada más, y continúa. Esto y lo otro, si me ayudas con él, está diciéndome cuando asevera la prominencia de mi rostro entre la claridad que penetra desde la ventanilla. Atrapa una de mis manos y la acerca a su vulva hirviente y húmeda. Ni esto ni lo otro, le estoy diciendo.

El cubano ha dicho: "Odio las putas".

El extranjero me pregunta si lo que yo digo tiene que ver con su Martha.

El cubano me dice que no, y me cuenta lo que le ha ocurrido en el baño.

El extranjero respira aliviado, sin saber, sin que imagine, que también lo digo por su Martha.

El cubano me asegura que perderemos el avión. Seis horas es mucho tiempo, y le imprime a sus palabras una resignación fúnebre. El tren ya está en marcha. Tiene que haber otra vía para llegar a Gerona, le reclamo.

El extranjero no queda conforme cuando le juro que este es mi primer viaje hacia allá. Sé que hay un mar, [195] un pequeño golfo, y unos cuantos kilómetros de distancia, pero no sé más.

El cubano lo ha resuelto como lo resuelven casi siempre los cubanos. Me ha distinguido los que pueden hacer las cosas y los que no. Los que tienen dólares y los que no tienen.

El extranjero se molesta porque le digo que con dólares puéde ir a Roma o a Marte, y eso es preferible a meterse en una islita llena de toronjas y putas.

El cubano se levanta, con vehemencia, cuando lo interrumpo para comentarle que la islita podría estar llena de poetas maricones.

El extranjero y el cubano discuten. Casi a gritos. El coche, antes silencioso, ha sido cubierto por un fierro de discordia, por una caligrafía pulcramente vulgar de los sentimientos humanos. Enciendo la linterna y me acerco a ellos. El extranjero y el cubano callan cuando les alumbro los rostros; pero no es más que un desorden de amigos, o no, y empiezo a entender lo terrible que podrían estar uno frente al otro. Los cambio de asientos. El extranjero queda donde mismo y al cubano lo traslado para donde está la muchacha con el pequeño bolso en la espalda, y ella va hacia donde estaba él. El extranjero me dice que prefiere al cubano aquí y no a la muchacha. Entonces le digo al cubano que vaya otra vez para donde está el extranjero. La muchacha, roída por la frustración, humillada por la estruendosa risa de algún que otro pasajero, comienza a descargar cuanta palabra obscena encuentra a su alcance. Vuelve a su asiento. Los tres van a dormirse hasta que amanezca. La Habana los espera.

El cubano es quien me ha dado la mala suerte. Haber perdido el avión no es lo único. Ni siquiera sé cómo llegar a Gerona. Creo que los cubanos están echando

a perder este país. Gentes como el poeta y la muchacha del tren. Es una lástima. Si voy hacia el teléfono
público que está en la parte lateral, allá va el cubano.
Si voy hacia donde están los autos viejos con las insignias de "Taxi", allá va él.

El extranjero va donde quiera que voy yo. Sabe que
está perdido, y su única manera de encontrar la orilla
salvadora soy yo. Pero creo que me da mala suerte, de
otro modo no hubiese perdido el avión. Tampoco yo
sé llegar a Gerona. He intentado llamar a Teresiano,
pero ha sido inútil. Las máquinas cuestan cincuenta
pesos hasta la Terminal de ómnibus. Alguien dice que
lo práctico es ir hacia Batabanó.

El cubano ha preguntado cómo se llega a Databa-
nó. Lo he oído porque casi grita. Intenté comunicar-
me con Martha pero fue imposible. A esta hora debe
estar esperando el avión. Si yo no hubiera ido a Oriente,
con esa idea estúpida de conocer Santiago de Cuba, o
si ella me hubiese acompañado en vez de quedarse
preparando todo para el viaje, ahora estuviésemos
juntos. Batabanó. Pero cómo se llega hasta allá.

El extranjero se monta en un camión porque me ve
montar. Si yo me montara en una nave espacial o en
un dinosaurio él lo haría detrás de mí. Estamos conec-
tados secretamente, le gustará admitir a Teresiano
cuando se lo narre.

El cubano vuelve a extraer del bolso su libro. Los
poemas de Hart Crane. Cuando llegue a Italia revisa-
ré en la biblioteca ese nombre. A lo mejor era un mili-
tante comunista. Casi todos los intelectuales de la primera mitad del siglo lo fueron, incluso, en los Estados
Unidos. Quizás era todo lo contrario: un cazador de
brujas, un germen del senador Mc Carthy. Todos son
acertijos, vueltos a una baraja indefensa y ambigua.
Tal vez en la tumba descubierta sólo existen los restos de
un hombre que jamás tuvo un libro entre sus manos. [197]

Las lápidas son engañosas, y la fama y el descubrimiento eran obra de las Cruzadas o Marco Polo.

El extranjero abre, discretamente, su gran bolso de zippers y bolsillos y enseña –nos enseña– la foto de su muchacha. No hay que empapelar la realidad para admitir que Martha puede ser una gran mujer. La habrá conocido en la cola de Coppelia, o en el aventón, como dicen en las películas, o presentada por una amiga mutua que los acumulará de elogios, séquitos uno del otro, deparados para una unión apocalíptica y total. Habría que surcar en la infinitud de las soluciones, manipular los polos. La historia así pudiese ser demasiado aberrante y superflua. Es el mismo cuento de todas las jineteras: *yo lo conocí de esa forma,* fantasea alguna, *pero le di a morder mi sexo por cincuenta dólares.* Somos seres inferiores, pertenecemos al cuerpo del otro, como diría, sin ánimo poético, Teresiano, vulva a vulva, entre las cadenas de Marat con Carlotta.

El cubano se baja del camión y pregunta lo que todos y nadie sabe, cómo llegar a Gerona. Lo sigo por un terraplén polvoriento e interminable. Nos observan gentes descalzas, perros, basura, carteles sin entusiasmo. La callejuela termina en una pequeña estación llena de mujeres con niños, hombres con sacos y bicicletas.

El extranjero pregunta lo que todos y nadie sabe, cómo llegar a Gerona. Hay que apuntarse en una lista. El carné de identidad, un número de espera o de identificación. O sea, me llamo 236. El extranjero ocupa un número menos. Nos sentamos en el único lugar disponible.

El cubano ha conocido que las lanchas –también las llaman motodeslizadores o cometas– viajan dos veces al día. Si tienen suerte, mañana, en el primer viaje, se van. Nos dice, o le dice una mujer gorda, al parecer empleada en este lugar.

El extranjero quiere llamar a su novia, pero una mujer muy gorda, empleada en este tugurio, llamado Terminal de embarcadero, le informa que, lamentablemente, y debido a reparaciones de urgencias a las líneas (un ciclón se acerca, nos revela, como objetándonos con placer las primicias) los teléfonos están fuera de servicio.

El cubano pregunta a la mujer gorda si no hay otra opción que pasar la noche aquí, atrapado en el velamen (la palabra, ni ella ni yo la entendimos) de mosquitos y moscas. La mujer gorda le habla de un hotel bastante cercano y con todas las comodidades necesarias.

El extranjero viene detrás de mí. No somos los únicos hacia el hotel. Treinta o treinticinco personas nos siguen.

El extranjero y el cubano son los primeros en llegar. Ambos parecen extenuados, enfermos tal vez, pero me resulta demasiado simpática la naturalidad con que pasan sin mirarme y, más tarde, lanzan sus bolsos a un butacón solitario. Ellos son míos, me pertenecen. Yo los vi primero, le hago saber mi privilegio a los otros. Yo diré permiso para que me escuchen, pero ellos ni siquiera oyen y dicen buenas sin ganas a la carpetera. Habitación, veintisiete pesos, veintisiete dólares para usted. La camarera recita como lo hacen en uno de los programas infantiles de la televisión: voz confusa, algodonada: no hay agua. Ella tose como si se trabara en su teatro; ahora vienen los cables eléctricos y las sábanas sucias y las culpas a un administrador que existe pero nunca está. Yo conozco a una mujer que le cobra menos. Es mi turno, me adelanto y no niego que también vi mis buenas películas, mi cara de muñeca de Oz, Shirley Temple, para agraciar a un auditorio de dos personas que terminarán por instalarse en este cuarto completamente esperándolos,

[199]

limpio, ventilado. Yo soy más simple y más digna: vein-
te pesos a ti y diez dólares a usted. La comida en el pseu-
dohotel, temprano, se acaba pronto. El extranjero y el
cubano no se hablan. A mí me pareció que venían juntos,
y yo no fallo en mis apreciaciones. Por eso me le acerqué
al cubano sabiendo que después vendría el otro. Sí, uste-
des se van mañana, hay que tener esperanzas. La espe-
ranza es lo último que se pierde, le dije, y el cubano, no,
los dólares es lo último que se pierde. El extranjero lo
mira y empieza a demoler su furia para sentarse lejos del
otro. Sí, porque con dólares ya me hubiese ido hace rato.
Los llevo al pseudohotel donde pagarán una comida que
no existe. Arroz, dice la mesera, se acabó lo demás, aun-
que por la salsa cobramos la mitad del precio que tenía la
carne. Ella trae dos salsas y aquellas raciones de arroz
que pagarán, olerán y no comerán. El extranjero y el cu-
bano entran al bar, casi al aire libre, y piden una misma
cantidad de ron que beberán en una misma y única mesa.
El barman escucha Radio Reloj, la hora, se acerca por la
parte occidental del país una depresión tropical. Mierda,
dice el extranjero, como si hablara con su vaso en todos
los idiomas del mundo. Cambia esa mierda, corea el cu-
bano. El barman, musculoso y con cara de idiota, los mira
agresivo, pero sigue con su paño reafirmando el brillo de
las botellas que sopla y empaña antes. Yo soy la media-
dora, y le sugiero al hombre que sus clientes quieren
música. Música, me asegura, aquí no se pone música.
Las emisoras están podridas de americanos tocando el
swing, el fox, de tipos drums que dicen yeah, yeah, y
gritan "This is rock". Todo eso es peligroso, yo cuido mi
ideología y la de mis clientes. Yo soy comunista, exclama
el extranjero, y me gusta oír a esa gente que usted dice.
Yo no creo en comunistas europeos, replica el musculoso,
y lanza el paño contra un mostrador lleno de moscas. Va
a llover, nos quedaremos sin luz, les digo a ellos porque
advierto el peligro inminente. Nos vamos. Me imagino

que la noche vendría a toda velocidad sobrevolando el pueblo. Lo demás me lo imagino también. Al caer las primeras gotas, ellos quedarán dormidos.

El cubano pregunta si hoy entrará el cometa. Se mantienen los viajes, además, hay un barco mañana que se lleva a todo el mundo, le responden. Abre el libro de poemas y declama secretamente, en inglés, creo. Hay que comer cualquier cosa que vendan, ni siquiera reconozco los nombres: frituras de boniato, pan con caracoles, no sé. El estómago se hace de piedra cuando lo obligan las circunstancias.

El extranjero devora todo lo que compra, que es ya casi todo lo que venden. Por ratos evita el bullicio y escapa a un rincón para estar solo con su foto. Creo que los sentimientos se enlazan y mezclan dentro de mí. Siento repugnancia y lástima por él. Ha hecho amistad con un deportista y con una muchacha que trae un oso de juguete.

El cubano habla con un viejo que afirma ser un fantasma. El hombre lleva ropa militar, un grado de sargento, eso dice, y se jacta de haber peleado en no sé qué guerra contra los italianos. El cubano se aprovecha de la bebida que guarda en un pomo el viejo. He conocido a una jovencita que me pregunta si en Italia hay osos. Sólo en casos de emergencia, le digo. También he conocido a un deportista que habla del fútbol de mi país. Yo le voy al Inter, reconoce, por pensar con racionalidad, porque sólo sabe que es un Club de primera, con dos o tres argentinos o brasileños en las puntas, una buena defensa y un portero seguro.

El extranjero habla de fútbol. Llega el primer viaje de Gerona, y la lista de números que estaba en doscientos avanza veintidós más. Hay muchos casos sociales, mujeres con niños que gritan, al parecer, ensa-

[201]

yados para la ocasión, ancianos dramatizando a la altura de un Óscar.

El cubano dice hay que esperar, sólo nos queda esperar. Lo veo cuando empuja el alcohol a su boca y el viejo repite hay que esperar. Lee poemas que el otro aplaude sin saber qué significan. El viejo es de Jiguaní, trabaja en cárceles, sin mayores ganancias que un sueldo y la mujer del prójimo preso. De eso habla, cuando el alcohol le pertenece, endeble ya, reducido a oír los poemas que no entenderá ni le importan.

El extranjero me escucha leer poemas de Hart Crane. Leo al viejo, o a él, o a mí, o al fantasma de Hart Crane. Todos somos fantasmas, dice el viejo. El alcohol lo lleva a eso. Yo soy mi propio fantasma o el fantasma de mí mismo, lo apoyo. La muchacha con el oso de juguete y el deportista suplican al extranjero que les hable de osos o fútbol.

El cubano se sorprende porque yo hablo de ella. Martha es mi fútbol, mi animal, mi comunismo, y lo grito contra él para que sepa que tengo todo el dinero del mundo, pero voy a demostrarme que las cosas funcionan de este modo.

El extranjero accidenta su obsesión con Martha al gritar y después envolverse en lágrimas. La muchacha saca una walkman de su cartera y le dice escucha música por favor. El deportista hace lo mismo con una pelota de fútbol guardada en su mochila. Pateemos esto, le pide. El extranjero sale al exterior de la Terminal. Estoy seguro de que mira las calles atravesadas por estrechos canales que le recordarán, oscuramente, Venecia. Pero a él no le importa Venecia y entonces vuelve junto a nosotros y trata de decir que compra una lancha, y observa que le oímos pero no lo entendemos. Se apaga su voz para rozar el estremecimiento. Compro una lancha, lo repite también en francés e italiano. Alguien aparece. Sí, yo sé donde hay una lancha. Diez mil y es tuya, pero tienes que llegar a Miami. A Miami, dice la muchacha con el oso de juguete, y el deportista, y seis o siete que se acercan. A Miami, tiene que llegar a Miami, dice el viejo borracho, y celebra junto a su fantasma el alcohol de las procedencias. El extranjero dice, hay tres problemas. Uno: yo voy a Gerona, no a Miami. Dos: necesitamos combustible y quien conduzca la lancha. Tres: no tengo el dinero en efectivo, tendría que ir a un banco. Al momento aparecen dos conductores profesionales, con experiencia y sin miedo. Te dejamos en Gerona y después seguimos.

El cubano me hace una seña para que lo acompañe. Quince metros después comienza a explicarme que es peligroso. Yo tú no lo intentaría, es mucho riesgo. No solo a perder el dinero, sino también a perder la vida. ¿Y Martha?, le preguntó. Habrá otro modo, simpre se puede comprar a sobreprecio un pasaje. Eso, si es que no hay suerte para la próxima lancha. Acaso debo creer en él y no en su fastuosa frustración poética. La tumba del poeta desconocido lo espera, un amigo que lanzará al mundo, si él no llega a tiempo, la novedad de Hart Crane enterrado en Cuba. Este es su viaje, esta es su tabla de salvación.

El extranjero me dice que está bien, voy a ver qué pasa más adelante. Entramos a la estación y él les explica a quienes nos esperan que ha cambiado de idea, que más tarde podría ser. Ahora o nunca, lo presiona un coro de viajeros. El viejo me observa como diciéndome, no beberás más de mi alcohol, traidor.

El cubano investiga cómo comprar los pasajes a sobreprecio. Sin embargo, su plan comienza a desmoronarse. Nadie sabe, nadie quiere, nadie se atreve. Tampoco mis dólares pueden. La lluvia no ha cesado desde por la mañana. Son las dos y unos minutos, a las tres será el otro viaje. Ni los dólares pueden, Martha,

[203]

eso trataría de decirte esta vez; y de qué sirve lo que pueda pensar si no sustituye la realidad, y la realidad es este lugar perdido en el universo, esa lluvia que cae, violenta y gélida, esas personas que apuestan como en un manicomio toda la locura a un único viaje.

El extranjero sale de la realidad y entra en el agua. Lo miro caminar por las calles desiertas y volver frente a nosotros. No es el que tiene que ser sino un hombre cuyas dimensiones empequeñecen aplastadas por la lluvia. Soy capaz de verlo así, supongo, que sin ironía, obligado a sorprenderme o a inventarlo entre su angustia. Los dólares no le han servido para encontrar un boleto salvador. Él y yo estamos excluidos.

El cubano va hacia la explicación que dará la empleada. Desde la ventanilla, tenue y cómplice, la mujer gorda informa de la llegada del último viaje de hoy y la suspensión de toda salida durante dos días por:

–Rotura del barco.

–Falta de combustible.

–La situación climatológica adversa, que hace casi imposible el trayecto entre los dos lugares.

El extranjero se acerca diciendo es absurdo y comienza a escoger un parecido con las circunstancias que él ahoga en su complicidad. En cambio, yo mantengo un silencio sepulcral: sin iniciativas, sin otra interpretación que esconderme en mi fantasma.

El cubano se interpone entre el grandulón que viene con los boletos para la lista de espera y la oficina donde se anunciarán los números con suerte. Por la entonación de la voz sé que suplica. El otro abre los brazos como queriendo decir y yo qué puedo hacer.

El extranjero no sabe que estoy comprando los pasajes a doscientos pesos cada uno. No creo en la suerte de las listas, prefiero apostar con seguridad al viaje y no pender de una voz que recitará, incestuosa, los números de espera. Pero el jefe de Tráfico, con sus boletos de reserva, dice que nadie lo soborna. El extranjero nos enseña un paquete de dólares. Es tuyo también, le insinúo al hombre, pero está sordo o definitivamente puro. Yo no creo en la pureza absoluta, sin saber, sin que imagine que la pureza es una exageración de la mierda que tenemos dentro. Mierda, le digo al tipo, lo que tienes es mierda adentro.

El cubano avanza en son de ataque ante el grandulón, que lo evade para entrar al cuartucho desde donde anunciarán los números para el viaje. Las gentes se agrupan alrededor de la ventanilla. La empleada comienza a recitar, afónica, sin motivación, los nombres de los elegidos.

El extranjero escucha cuando la mujer gorda anuncia, treinta fallos, y me dice: nos vamos. Comprendo su alegría, como comprendo mis ganas de imaginar que su mundo sin Martha, definitivamente, podría ser el mundo con todos los fantasmas.

El cubano me dice: nos vamos. La mujer pide los casos sociales, una aureola de niños aullando, hombres inválidos, mujeres con tres piernas, ancianos que se arrastran, avanzan entre nosotros y se atreven a ser los primeros, casi los únicos.

El extranjero entrega su identificación, paga y recibe el boleto para llegar a Martha. Este es el último, dice la mujer, ya están los treinta. El extranjero me mira con lástima y sorpresa y, entonces, reclama a la empleada que falta otro. No, dice la gorda, cualquier duda analícenla con el jefe de Tráfico. El extranjero se dirige a él.

El cubano va hacia el grandulón y lo amenaza diciéndole que es periodista. Lo publicará todo. También tu intento de soborno: doscientos pesos, en letras rojas, replica con burla el hombre fuerte.

El extranjero intenta detenerlo. Creo en tu dignidad y tu pureza, pero te falta el amor al prójimo, le [205] dice, olfateando el peligro de gritarle a la cara, para que el jefe de Tráfico vocee, ellos también son el prójimo, y señala a los que miran como el extranjero rompe en varios pedazos el cartón de viaje, y empuja al hombre, que desechará toda prudencia para asestar un golpe, un contundente golpe, mientras el extranjero rodará por el fango de una calle donde los hombres descalzos, los perros, los carteles y la basura acumulada correrán para testificar.

El cubano se abalanza contra el grandulón. Tiene que discernir al levantar su brazo y propinar un golpe por la espalda al otro. Yo sangro, Martha, pertenece al fango, al ojo de los mirones; pero no lo golpea por la espalda sino que espera a que vuelva el rostro, y el puñetazo provoca un chirrido hueco que hace escupir sangre al grandulón para después contraatacar con toda la torpeza de su enorme cuerpo.

El extranjero y el cubano yacen en el suelo. El jefe de Tráfico tuvo que soportar los golpes que más tarde vengó con furia. Una muchacha con un oso de juguete, un deportista y un viejo borracho llegan al auxilio. Yo también, esa es la filosofía. Dos hombres sangrando. A nadie le importa que llueva para salir junto a ellos y solidarizarse. Es cuestión de los de abajo, me dice alguien, confundido y desengañándose de la conciencia. El viejo tiene una pistola en la mano y apunta al jefe de Tráfico. Tú eres mi fantasma, mi estúpido fantasma. Lo que hace falta es que dispares, le dice el otro, confiado en que su miedo interior no lo inunde. Eso y ese no valen la pena, le grito al viejo. ¿Tú vales la pena? Me dice, en el tanteo extraviado de aparentar un arreglo a las cosas. Sí, y consigo un sumidero terrible a la voz, entendiendo que no sólo obligan las urgencias y que este momento puede aprovecharlo el otro para escapar. El extranjero y el cubano miran como el jefe de Tráfico se pierde hacia la niebla, y como el viejo guarda su pistola y empuja el pomo en un trago vencedor y caudaloso. Hay que seguir, les digo a ellos, se fue una lancha, pero la vida no.

El extranjero me dice, vamos con ella, cuando la mujer que ha aparecido sabe de un lugar del que saldrá un ómnibus para La Habana. Pero está lloviendo, les digo a los dos, y ella habla bajito, con ternura, transparentemente cursi, diciéndome: no, no llueve, cuando tenemos cosas más importantes las otras no existen.

El cubano asiente ante lo que dice la mujer. Voy por nuestro equipaje y la seguimos. El ómnibus sale a los diez minutos de que llegáramos. La mujer se baja algunas paradas después.

El extranjero me jura que no mirará atrás. Martha. Digo el nombre con riesgo, sin explosividad, pero precisándolo a elegir entre todas las cosas y ella. Martha, repite él, y oigo su silencio un minuto antes de presentir que no sabe. A lo mejor la llamo desde Italia, murmura.

El cubano dice, ya entramos a La Habana y en la próxima parada me quedo. Toma, le oigo, y su mano busca el libro que entrega a la mía. Hart Crane, ojalá no te recuerde las otras cosas, exclama antes de abrazarme. Los cubanos siempre quieren comprarme con algo, puedo decirle en medio del abrazo.

El extranjero agita su mano por la ventanilla. El ómnibus se va alejando de mí, haciéndose pequeñito en el horizonte. Me acerco a un grupo de personas que desfilan apuradas para hacerles la pregunta que todos y nadie sabe, cómo puedo llegar a Oriente, pero a ninguno le importa responderme, y me subo en un camión que va a cualquier parte. En el bolso, el sitio donde estaba el fantasma de Hart Crane está vacío, y afuera, por fin, deja de llover.

[207]

noël castillo

¿Dónde estará
Celeste Kindelán?

"Dónde apacientas, dónde sesteas al mediodía..."
Cantar de los Cantares 1:7

Lo que yo quería aquella tarde –y quería de verdad; por eso el correr intempestivo, subiendo escalones de dos en dos, sin apoyarme sólo en la punta del pie, porque por el televisor han dicho que es malo y yo, aunque esté apurado, muchas veces cumplo con ciertas recetas oficiales–... lo que yo quería de verdad era escribir en un papelito que había soñado otra vez con las vírgenes, como cuando era niño; y que, como en aquellas noches y días tumultuosos en que temblé (espasmo largo) junto a la protagonista de la película checa *Fiesta en las nubes,* colocada ante mis ojos en los interiores de un convento atestado de íconos; como aquella vez en que no quise dormir solo durante un mes, a mí me había dado miedo y deseos de llorar... y lo quería escribir así: en un papelito rápido, para guardarlo en cualquier lugar de la casa, como hago siempre para... que parezca que comparto algo con alguien (o que canto a voz rajada, solo, atravesando oscuro campo) y el miedo se me quite.

Mientras volaba, tácitamente, los escalones me dio tiempo incluso de dudar y creer que lo de las molestas lagrimitas no tenía nada que ver con las imágenes de Santa Ana o Santa Teresa de Jesús, que abuela colocaba perfectamente en las paredes de tabla de palma, o debajo del colchón, o en el altar del cuarto de los regueros, cosa de que si yo registrara no fuera a olvidar que el miedo estuvo y estará siempre conmigo. Hasta dudé, y me convencí llegando al piso quinto, de que las lágrimas que me daban picazón y un placer demorado entre el pecho y el estómago, eran más bien debidas a que Pilalivilukandi Tekkeparamphil Usha, la vallista de la India, había perdido por una centésima (¡caballero, por una centésima!) la medalla de bronce olímpica en los cuatrocientos metros con vallas ante la rumana Cristiana Cojocaru. Le ronca ¿no?, porque en definitiva la rumana esa ("biencomía" y tal vez dopada institucionalmente) estaba cansada de ganar medallas corriendo los ochocientos planos... y se antojó por las vallas para los juegos estivales... y dejó a la pobre P.T.U. –que así le dicen porque su nombre es muy largo y los europeos, compinches topográficos de la Cojocaru, no quieren complicarse al pronunciarlo o, quizás, quieren minimizar a la pobre Usha– sin la medalla cara y anhelada, que los hindúes, no importa si budistas o mahometanos, esperaban y P.T.U. esperaba desde chiquita: corriendo descalza, reventándose los pulmones, esquivando tal vez alguna que otra vaca (porque allá no se las comen y hay muchas por todos lados), entrenando desde 100 hasta 400 metros planos, vallas altas y bajas, relevos... todo para ver si un día la gloria le guiñaba y conseguía subir al podio y ese día le daba por llover y ella podía llorar todo lo que le diera la gana y así, entre lluvia y lágrimas, un

periodista poeta, de esos que quedan, escribía una cró-
nica sobre como las lágrimas de Pilalivilukandi Tekkeparamphil Usha se confundían con la lluvia; pero ahora por una centésima de segundo la India estaba de
duelo nacional, más de ochocientos millones de personas plañían su frustración y mi alma estaba también de duelo y quería, también yo, llorar con ellos.

Todo eso iba a escribirlo en un papelito y soltarlo
rápido, para que no me quemara con la lentitud de
los dolorcillos triviales, cuando Juliette Aparecida
Osinga–Rossetti de Lara Geremías Conceiçao –la negra vieja que estoy viendo desde niño en las casas
en que hemos vivido, trastabillando de un lado a
otro con sus ropas extemporáneas y de la que nadie, ni siquiera mi abuela que la trajo de su viaje
Canarias-Habana vía Islas Madeira, conoce la edad,
ni de dónde proviene la rara mezcla de nombres
franco-italo-lusitano-senegaleses que la amortajan
en casi doscientas libras–; la misma que, supongo,
ha de ser una especie de criada recidiva, por encima de cualquier FES y que ha estado siempre así:
pose de mammy del sur de los EE.UU. (como Hattie
McDaniel en *Lo que el viento se llevó*) y que escribe
sonetos alejandrinos con ínfulas de poetisa; ella que,
para colmo, es la única que encuentra mis papelitos
para luego burlarse y corregirlos estilísticamente, soltando con grandilocuencia sus frases aprendidas en
algún lugar del mundo menos aquí, en este quinto
piso regentado por gatos y papeles escondidos... pues
sí, cuando ya me disponía a calmar el dolor lacri-
mógeno, Juliette Aparecida Osinga–Rossetti de Lara
Geremías Conceiçao irrumpió triunfante, esquivando gatos, soltando su eterno lamento impenetrable:
"Ay, Rishilda de Polonia, ¿por qué te casaste con
Alfonso VII de Castilla y León?"... alargando su
manaza olímpica con la carta de Martha Rita.

"...¿sabes lo que sucede con este cuento? Te presento a Johanna toda insólita, luego a Don Cristóbal todo tradicional. Una boda feliz y una luna de miel ideal. Finalmente la cotidianidad, Johanna empaca, suelta las palomas (esto último puede antojársenos un símbolo)... entonces decimos: "¡He aquí el conflicto: una mujer excepcional que se rebela contra la rutina, que no se resigna a una posición servil!" ; Johanna vuelve. Decimos: "chocó con la sociedad." Sin embargo no hay todavía conflicto alguno porque ella se fue feliz y así regresa. Esto nos desconcierta algo, mas no desesperamos: aún queda la inminente refriega del esposo. Y he aquí que no la hubo; he que el simbolismo de las palomas liberadas era una farsa. Es sólo la historia de una loca y de alguien que la ama y es feliz con ella, así tan chiflada como está. Entonces censuraremos: "este cuento es una mierda..." y yo me río porque estamos tan adaptados a los choques y conflictos narrativos, que no podemos aceptar ya las simplezas, renegamos de la transparencia. No hemos visto el envés de las cosas y ya le andamos buscando el revés. Este pensar dialéctico me tiene fatigada. Necesito unas vacaciones; irme de viaje... como Johanna.

Un besote, te quiere,
M. Rita"

Ayer hablé con Martha Rita y le pregunté si me daba permiso para utilizar su cuento al hacer el mío –con lo que estuvo de acuerdo, claro, porque es mi amiga y sabe que nada malo sucederá por un divertimento moderato. Reinó así un poco de tranquilidad tras varios días pensando en Celeste Kindelán, en la fórmula ideal para encontrarla y salir de este desasosiego espiritual en que me sumerjo cada cierto tiempo. Me calmó la responsabilidad compartida... incluso si sale bien podríamos convertirnos en los nuevos "Hermanos Grimm", haciendo cuentos a tres manos –y digo a tres porque yo soy ambidextro–; podríamos participar en los eventos literarios, adoptando poses y actitudes respecto al resto de los talleristas o personalidades invitadas. O, mejor, respetando la esencial y a veces casi única motivación de ir a comer gratis, coger un "drinking" y hablar de los demás en una feria vana y espiraloide que no termina hasta el día de las premiaciones. Y lo esgrimo con toda seguridad porque me lo dijo, en uno de sus pocos estadíos atinados, Juliette Aparecida Osinga–Rossetti de Lara Geremías Conceiçao.

Vino Celeste Kindelán otra vez a mi memoria desde que leí la carta de Rita. Es que me di cuenta de su satisfacción interna: ella –Rita– había encontrado, de la manera más lógica y humilde, a sus personajes; yo tenía que hallar el mío. Sólo así se arma el cuento –sin que Martha Rita participe, por supuesto; sería demasiado pedir su ayuda después que urdió el suyo... además, ella tuvo el valor de enviármelo para proporcionar alegría a alguien como yo, que nunca he escrito un cuento y ando siempre triste o desesperado desde que tropecé con el nombre de Celeste Kindelán en el periódico *Granma* de marzo de 1975.

Así pues, mi narración debía basamentarse en un proceso de reescritura –que es como le dicen ahora al hecho de plagiar y piratear lo de otros por no tener nada digno que decir– en el cual la diégesis y la exégesis se dieran la mano para demostrar que nos encontramos ante un escritor que, acorde al espíritu de época (este divino postmodernismo nuestro de cada día) fundamenta su discurso en el quebrantamiento no sólo estructural, sino también ideotemático y donde la pérdida de la voz omnipresente del narrador abre un espacio para la comunicación inmanente con el lector.

Estaba todo muy bonito, muy graciosa y opinadamente colocado para impelirme a la resolución de un cuento despampanante; pero no resultaba porque la voz de mi nana de color, estridente e impropia (como diría mi amigo *Pepito*), se tamizaba a través de su propio significado, penetrando aguda en su lamento... por qué, Rishilda de Polonia, te casaste con Alfonso VII de Castilla y León... una vez pasada la histeria estallante reía, reía para leer entre pujos altos el cuento de Rita; leía y me recordaba la vergüenza de que esta hubiera dado vida a Johanna y yo ni siquiera adivinara a Celeste Kindelán...

JOHANNA SE VA DE VIAJE: ASÍ COMO LA BRISA

"Don Cristóbal la descubrió de puro milagro; aunque sin puro milagro también la hubiera descubierto. Era bien difícil no ver a Johanna y a su paraguas verde.

Agosto de mediodía. SOL ANARANJADO. Muchos pasajeros. Caballeros que observan sus relojes. Pañuelos que flotan en el andén, sirenas que cantan. Escaleras de hierro horizontales; montañas rodantes de equipajes. Trenes con locomotoras... locomotoras sin trenes. Un puente levadizo y, sobre el puente, Johanna. Johanna con azucenas y falda de algodón y sombrerillo de fieltro y zapatos de hebilla y tacón cuadrado. Johanna con la brisa..."

De tal manera la cosa se complicaba: mi colega en materia creativa había sido capaz de dejar a un lado las pretenciones trascendentalistas, y su Johanna casi salía del papel a recordar que las cosas tratadas desde lo complejo pueden ser muy aburridas cuando se repiten obra tras obra; parecía cobrar vida objetual en las muchachas que se ponen largas faldas para ir a los conciertos de los trovadores o a los encuentros literarios... y yo ni siquiera me imaginaba a Celeste

Kindelán, porque de ella sólo tenía un nombre en el periódico *Granma* de marzo de 1975, donde andaba de modesta, metida entre metros y centímetros del Ranking Nacional de aquel año. Un quinto puesto, quizás meritorio, pero insuficiente porque no anexaban ni su foto y porque impulsando la bala a 15 metros y 61 centímetros poco podía hacerse aun en aquellos días, en que al menos publicaban esos listados en el periódico de mayor circulación.

Aún así se agradece el anonimato de Celeste; el cuento puede aguardar (es este un relato de coincidencia entre el tiempo de gestación y el tiempo contado, dice Juliette... sea). Iníciase el miniensayo sociológico, ese que me demuestra la extraña razón, la arcana consustancia asimilable tanto a Johanna como a mi atleta. Porque si Celeste hubiera alcanzado con la bala dos o tres metros más, a mí no me interesaría conocerla; porque si aún publicasen los Rankings Nacionales en el *Granma*, yo no me hubiera hundido –afán enajenante por medio– en las hojas apestosas y viejas de la hemeroteca para buscar nombres del pasado... DECIDIDAMENTE ESTO VA BIEN, PORQUE DE FICCIÓN NO TIENE NADA; EL AUTOR–NARRADOR SE HA DESPOJADO DE SU ROPA DE PAPEL, DEJA DE CONSTITUIR UNA ENTELEQUIA NARRATIVA Y DISCURRE ENSAYÍSTICAMENTE... AL MENOS HASTA AHORA); y no me hubiera dado tanta lástima el que una mujer con un nombre tan bonito, tan celeste, fuese sólo quinta en la lista nacional, provocando que de allá a acá el tiempo la haya borrado para siempre de nuestra memoria afectiva. Celeste difuminada en el olor de la nostalgia; Johanna demasiado encantadora, etopeya y carácter; el cuento de Rita, mi ensayo tardío...

"...se casaron en otoño y ese día no hubo aguaceros. El olor de la albahaca se mezclaba con el del romerillo, y el azahar no faltó nunca, aunque las rosas sí. Volvieron en primavera, los trajo de vuelta un vapor amarillo como los del Mississipi, y un fotógrafo con alas de cuervo los inmortalizó en un daguerrotipo donde el tiempo se detuvo.

"Se instalaron en una pequeña casa con patio interior, aljibe, helechos y un palomar. Don Cristóbal volvió a la oficina: océanos de cuños, documentos y firmas con estilográficas; Johanna a las chancletas debajo de la cama, el baño caliente, la ropa almidonada y las galletas de mantequilla..."

Ahora que trato de vertebrar la historia, me parece a mí que Celeste debió o debe ser, si aún vive en Oriente, Matanzas o dónde sea, negra y corpulenta como toda lanzadora atlética; un poco pasada de peso, quizás, tras el retiro y supongo que, por la época en que el periódico se digna mencionarla, usara algún pañuelo de cabeza, como estilaba la mayoría de las deportistas de color para no tener que darse "peine caliente" tan de seguido, en medio de las competiciones (no se usaban las trencitas...) ¡y lo caros que eran aquellos pañuelos japoneses, finitos, con hilos dorados sobre el color de turno; telitas de cebolla que les decían...! Caros para la época y para Celeste, de seguro, porque debía estar casada, tener, a sus veinticinco años, al menos un hijo, como casi todas las mujeres cubanas que llegaron algo tarde al deporte, a raíz del estallido de la masividad... debía tener ella otras muchas cosas que no logro precisar: hasta una risa gorda de negra gorda y chancletera cuando iba los fines de semana para su semisolar en provincias, o para una casa de madera y techo de guano, como la de mi abuela, en una loma guantanamera, donde la descubriera cualquier activista deportivo... y más cosas todavía; pero no he de aburrir a nadie hablando de un personaje que no *es*, que no ha sido justificado en el texto y porque lo que realmente

[215].

me interesa es terminar de leer el cuentecillo de Martha Rita, emoción desde lo tenue y despojado, para ver si me explico el extraño sopor al que me lanza (atleta al fin) Celeste Kindelán... o ni me lo explico –complicación de menos– para inventar e inventar, como inventaron a Cristóbal y Johanna...

"...sólo duró una semana. Cierto lunes, Johanna tomó la maleta, la llenó de cosas, soltó las palomas, abrió el paraguas verde y se fue de viaje. Volvió a los tres días, tan feliz como se había marchado y con un loro (en realidad nunca le agradaron mucho las palomas). Abrió las ventanas de par en par, cambió las cortinas y puso a hornear un pastel.

"Desde entonces Don Cristóbal no paró de amarla; sobre todo porque nunca tuvo la certeza de hallarla al volver. Siempre que tenía vacaciones la acompañaba en sus viajes. Entonces vivía doblemente feliz... porque la felicidad era loca y Johanna también."

Este *in crescendo* me obliga a asustarme de mí mismo. Coincidencias temporales, dubitaciones... todo gira al terminar de leer el cuento de mi amiga. Me ha entrado un deseo enorme de iniciar el mío de una vez y por todas, olvidando todo lo que sanamente me inspiró su lectura... ¡y eso es casi una traición exegética! Pero uno ha escuchado a los estudiosos, uno no es tan inculto, vaya... desde hace un buen rato los narradores han sido catalogados como *violentos o exquisitos* –eso me ha dicho muchas veces Juliette Aparecida Osinga-Rossetti de Lara Geremías Conceiçao– o, como el caso que apuntala el comodín: postmodernos.

¿Y si mi Celeste incorporara, tras el retiro del deporte activo, a una puta pastillera, dada a la mala vida, alcohólica; y si tuviera un hijo gay, vergüenza de la familia por aquello de que entre los negros los maricones –no hablemos de los bugarrones– escasean? MARGINALÍSIMO, ESO ESTÁ MARGINALÍSIMO. ¿Y si su primogénita, habida en el primer matrimonio de Celeste con un remero de segunda categoría (vale aclarar lo del primer matrimonio: puede, VIOLENTAMENTE hablando, haber tenido varios), se fuera en balsa atravesando el estrecho de la Florida... o, mejor aún, si esta muchacha, llamada a ser una discóbola destacada, más o menos como lo fue de balista su madre, fuese hija de padres divorciados, con los traumas consabidos que ello genera, y no conociera al padre, no tuviera los adecuados consejos de la violenta Celeste –entrenadora venida a menos en un pueblo cercano, o entregada a la borrachera, por supuesto, o vendiendo parkisonil– y esta niña-prospecto se dejara engatuzar por un novio malacabeza, que la tiene ahora incomunicada en un refugio miamense...? ¡Qué va, mejor! Si fuera ahora jinetera (la hija) y en el solar o en la casa de guano, remodelada varias veces desde 1975 a la fecha, alternaran canastilleros de santería con videocassetera en norma Palm –¡duro eso!– y zapatos de pana-onda retro-tacón imperio con chancletas plásticas negras, recicladas con pedacitos de alambre de cobre. ¡QUÉ VOLA'O Y MARGINAL...! pero no, porque si en verdad Celeste parió y este cuento llega a ser publicado, no quiero que vengan dos etíopes escaparatones –émulos de Salvador Golomón, por demás negro valiente– hijos y/o nietos de la exbalista a darme una mano de golpes por haber desprestigiado a su madre y/o abuela, la cual en realidad, pobrecita, se gana la vida vendiendo durofríos o haciendo coquitos, como la protagonista del famoso documental cubano.

Por mucho que ame la literatura, por mucho que deseara estar a tono con los "violentos" de nuestra narrativa, no puedo permitir que desfigúrenme el rostro o lesiónenme un brazo (esta serie de enclíticos estaría más con los exquisitos, tómese como un adelanto de lo que vendrá), miembro útil todavía para escribir papelitos

[217]

cada vez que me sienta mal, o que me desactiven un oído, que tanta falta me hace para escuchar a la gente contarme sus problemas o a la insoportable de Juliette Aparecida Osinga-Rossetti de Lara Geremías Conceiçao maldecir el momento en que Rishilda de Polonia se casó con Alfonso VII de Castilla y León... además el NO se reduplica porque estoy aburrido de leer cuentos con balseros y parias marginales, llenos de "malas palabras"; no puedo permitirme el trauma de inventarle a Celeste un hijo que peleó en Angola y regresó traumatizado... o con el SIDA. Eso ya lo dijeron muy bien unos, lo gastaron otros (como la metáfora cuando pasa a ser patrimonio del tango) y no pienso traicionar así a Martha Rita, quien ha removido mi parte sencilla con Johanna, la cual se va así –como la brisa– y regresa campante y sonriente sin mayores dificultades.

Pero un cosquilleo de autosuficiencia es el peor de los impulsos. Casi ya me lanzo de cabeza hacia otra traición exegética, casi que mando a paseo a Johanna y sus palomas para colocar a Celeste Kindelán en la EXQUISITEZ de un nuevo discurso. La voz de la mammy aplatanada tras de mí lo deja claro: "un trabajo consecuente con las posibilidades que el lenguaje ofrece, donde la descripción a lo Carpentier o los valores simbólicos sirvan de soporte a líricos personajes". Con su manaza en mi hombro queda establecido el reto. ¿Y si metiera una perra descripción a nivel de atmósfera, con la maciza Celeste en competencia, atardeciendo; la piel oscurísima perlada de sudor, el rostro beatificado, remedando en forma y aptitud las lágrimas sobre el rostro de la virgen Dolorosa en la iglesia de San Juan de los Remedios (unas perlitas blancas y auténticas de lo más sugerentes) y de ahí, obviando los antecedentes motivacionales, arranco con ojo cinematográfico para el altar, que detallo tal cual dicen: BARROCO, y me encarpenterizo sin considerar onerosa la digresión, olvidadizo de Celeste... o, más bien, encubridor de mis claras deficiencias como narrador exquisito. NO PUEDO: me hastían los cronotopos afiligranados, el engarce perfecto de los sintagmas, la retahíla de sustantivos, adjetivaciones y referentes literarios (¡uf! Esas plazas de mercado decimonónico, cercanas al desembarcadero de las flotas y los puestos de fritangas a la sombra de los portales de columnatas... ¿hasta cuándo?) Harto estoy de enumeraciones barrocas, malabares con la historia, universos fabulados.

En su librero Juliette Aparecida Osinga-Rossetti de Lara Geremías Conceiçao ha almacenado un macrocosmos intelectivo: libros y libros de Severo Sarduy, Carpentier, Cabrera Infante, Vargas Llosa se suceden junto a las teorizaciones de Bajtin, Belic, Todorov, Prada Oropesa y un etcétera larguísimo. Mi mano estirada bastaría para convocar al exorcismo esteticista. La he sabido mantener alejada; a quien acumulo enfermizamente es a Gabriel García Márquez, sólo de recordarle mi estómago inicia un tète a tète entre el simpático y el parasimpático... ¿qué tal un aporte intertextual donde el rey del Realismo Mágico me preste un pasaje desgarrador y poético? ¿Estaría muy mal que yo dijera, por ejemplo, que estábamos Celeste Kindelán y yo... ah, y Johanna, para que Martha Rita no se ofusque o se considere preterida: todos somos latinoamericanos y podemos andar juntos gracias al boom y al postboom... pues sí, estábamos los tres doblando las sábanas cualquier tarde en el patio trasero de la casa de Celeste, o tal vez en el centro del solar bullanguero que también le he endilgado, pero sólo nosotros tres: muy profesionales y a la labor dedicados, cuando instintivamente Johanna y yo miramos bien hacia nuestra izquierda y sentimos "el deslumbrante aleteo de las sábanas que subían con ella (con Celeste), que abandonaban con ella el aire de los escarabajos y las dalias, y pasaban con ella a través del aire donde terminaban las cuatro de la tarde, y se perdían con ella para siempre en los altos aires donde no podían alcanzarla ni los más altos pájaros de la memoria". ¡Qué lindo! ¿no? Inclusive Celeste quiere decir de cielo... (p'allá va teledirigida); además, a Johanna, quien según Martha Rita se va y viene como la brisa, no le va a importar mucho y lo disfrutaré todo yo solo.

Claro que da un poco de turbación vergonzosa desplegar este acápite intertextual. Ya cogí a Martha Rita para mis cosas, ya le robé la inspiración para dármelas de narrador. ¡Sería el colmo que reescribiera, intertextuara, plagiara al Gabo! Si bien aquella me lo perdonaría por amistad y quizás porque hasta crea que su cuento no tiene valor alguno, este otro sí que no; porque es un señor de clase si se viene a ver, que escribe con computadora-correctora y todo (mientras yo me desangro con medios tan humildes). ¡Cómo voy a atreverme! No, creo que lo adecuado será darme por vencido y no ilar fábula alguna (ilar sin hache, me aclara mi perla negra, se trata de un discurso... insoportable como es) sobre Celeste Kindelán. Se parecería a cualquier otra historia. Me preocupa hasta creerme mejor que la benigna Martha Rita, el olvidar la necesidad que tenemos de ser claros, transparentes, que no tontos.

Se aleja mi motivación inicial, se va a bolina el cuento, lo siento línea a línea; creo que a Celeste lo que más le atañe es un poema, una oda, una novela testimonial, incluso un poemeto (a lo Alma Rubens, con dispensa de Poveda). Y eso vendrá después. Ahora, antes de que Juliette Aparecida Osinga-Rossetti de Lara Geremías Conceiçao encuentre otro de mis papeles ocultos y comience la burla, antes de que choque con otro de los gatos y lamente, por ende, la hora en que Rishilda de Polonia se lió a Alfonso VII de Castilla y León; antes de que la cabeza empiece a darme vueltas y me deprima la no-consumación de mi intento narrativo, quiero hablar con Celeste, decirle que el tiempo es enemigo demasiado cuerdo para desdeñarlo; si se viene a ver nada tengo contra él –porque es irreversible el muy cabrón; pero sí contra los estúpidos que le hacen el juego, andando con prisa festinada, seleccionando sólo lo grave para el viaje, prostituyéndose por los pequeños momentos de grandeza; sí contra aquellos que desean subir en loca carrera hacia arriba y hacia arriba, enseñando dientes a los triunfadores del tiempo, comprimiendo el espectro en extremos donde no cabe el color gris de los periódicos que me llevaron hacia ella: sí contra los subproductos del poder...

Hacia arriba, Celeste, sin bajar antes a conversar contigo (con muchos) porque tú no existes para los otros más que en el papel, un papel como los que asaeto con espasmos neuróticos, con rabia espectacular y donde caben muchas cosas para no tomarlas en cuenta. Te creo, Celeste, definitivamente afortunada, donde quiera que estés. Tú al menos tienes a un tonto como yo, que te ha descubierto en los pliegos humedecidos: por mí tú te salvas, sin que por ello prevalezca... sé que nadie va a reencontrarme dentro de treinta años (tampoco serán recordados muchos violentos, exquisitos, poetastros, intelectualoides, y mal ubicados...); las etapas no se salvan a grandes trancos, es a veces preferible diluirse en los días. Hoy lo sé.

Delante de mí, almohada para mis codos, estos papeles inconclusos, aspirantes a trofeo de gavetas. Suficiente base material de estudio para mi nana intelectual. Los encontrará, para qué dudarlo y, si está de vena, si la neura la golpea contra lo bueno, ha de soltar una de sus frases rimbombantes ("me parece una cruzada pantagruélica contra la eticidad") y luego mutar a su queja

[221]

eterna, al lamento por la hora en que Rishilda de Polonia –sobrina del emperador romano-germánico-casose con Alfonso VII de Castilla y León.

Cuando me emparede a penar por Celeste, por Johanna; cuando ellas me rodeen tras el altercado que sostendrán al sentir la diferencia entre la que es ya personaje y la que no pudo llegar a serlo, tomará forma el sujet (Juliette por la puerta entreabierta: "un buen sujet salva cualquier fábula, niño"). Queda el cumplimiento del pacto entre autores, Rita y yo, que ni chistamos. Ella, que me dio su cuento para alegrarme; yo, que intenté gestar el mío para demostrarle que me voy como Johanna, con la brisa, todos los días; que tomo partido por su causa y soy el primer convencido. Es más: no me importa si en el futuro, de seguir escribiendo, sea ella exquisita, violenta o lo que le venga en gana; no me dará mala espina verla ascender complicando los caminos, porque compartimos este rejuego, una alegría menuda como la gloria; porque me cerciero de que empezó desde abajo, o más bien fue hacia abajo para después subir, única manera de acceder, sin sonrojarse, sin miedo en el alma, a los altos asientos de pana roja de los recitales y lecturas.

Seguidamente leeré (hablo del futuro, de lo no-contenido en esta historia) algún libro vetusto para preparar la coartada contra mi censora doméstica. Asumiré, no sin placer exegético si tenemos en cuenta que lo haré por deficiencia al no tolerar la diégesis que me propuse, mi pérdida de tiempo, esta vacua pretensión de hacer confluir las dos historias; es que Johanna y Celeste pueden convertirse en parientes cercanas si me place; es que Rishilda, polaca, princesa, no se unió gratuitamente a Alfonso VII de Castilla y León.

Demostraré, alzando la barbilla a la distancia precisa, que la historia fabulada no puede contra el motivante. En cuanto la correctora de estilo termine la lectura prístina (no puedo negar cierta impaciencia, pero ella gusta de hacerse esperar), anexaré los acápites probatorios de mis conocimientos acerca de la posible consanguinidad entre ambas heroínas –dos mujeres que no existen por innegables causas: el maldito tiempo y la divina literatura– que no existen y a nadie puedo perdonar, mucho menos a mi dilettante de color, quien, dicho sea de paso, no figura en estas páginas por gusto, AMIGO LECTOR, QUE HAS TENIDO LA PACIENCIA DEL NARRATARIO, LA GENTILEZA DE SEGUIR HASTA AQUÍ LOS ALTIBAJOS DE ESTOS TRISTES EVENTOS. Algo tenía que inventar para resumir en un ente inubicable cronotópicamente (¿?) a todos los creadores, de la escuela que fuesen, exquisitos o violentos, poetas o narradores, mal ubicados o hijos del tino, poco humildes o chéveres personas... algo que doliera menos que saberme en ellos también. Tratar de apresarlos es un paso hacia lo innominado.

Puedo molestar aún más con este pastiche incriticable. Unas líneas de apéndice, el gustazo de demostrar profundos conocimientos sobre genealogía, la maldad de bajar a Juliette Aparecida Osinga-Rossetti de Lara Geremías Conceiçao a su condición inicial de ser humano (¿a quién me recuerda, a quién me recuerda?) Algo de dramaturgia no podía faltar en tan postmoderna mezcla de géneros. Comienza la puesta...

MUJER (*que avanza despacio, con seráfico bamboleo y simula esquivar a imaginarios gatos*): Buenas, qué tal; ¿cómo va la vida?

CREADOR (*con un mohín de disgusto y mirando exageradamente hacia el lateral contrario*): Na' bien... ahí.

MUJER (*colocándose bajo el cenital de proscenio, adoptando poses de mulata del teatro bufo*): ¿Y Johanna?

CREADOR (*dando la espalda, porque por televisión muchos actores contestan dando la espalda a su interlocutor, y eso tiene mucho "swing"*): Con Cristobita, bien... ahí.

[223]

MUJER (*que ha marchado al fondo del escenario, sobre el cual se proyectan fragmentos de* Madre Juana de los Ángeles, *algunos de los cuales remeda en movimientos, como poseída, escurriéndose sobre la pared*): ¿Y la balista?

CREADOR (*que ahora no adoptará pose alguna, ya que le han dado donde le duele*): Na' bien, creo que "doquier que el hado en su furor le impele" será mejor que en un rengloncito del periódico *Granma* de marzo de 1975.

(*Se apaga el escenario; de fondo se escucha un bullicio in crescendo, susceptible de ser confundido tanto con el sonido ambiente de un stadium atlético, como con el de muchos creadores conversando antes o después del recital de marras. Los actores están uno frente al otro en el centro del escenario, al momento de iluminarse. En pantalla se suceden imágenes de todas las películas y documentales que en el texto se han mencionado:* Fiesta en las Nubes, Ella vendía coquitos, Lo que el viento se llevó. *En un lateral, mediante un video-bim, se puede apreciar la carrera final de los 400 metros con vallas para damas en los Juegos olímpicos de Los Ángeles 1984.*)

MUJER (*que ahora da la espalda, rígida*): ¿Y tu cuento...?
CREADOR (*llorando a mares*): Na' bien... ahí.

(*Los actores, con paso funeral, harán mutis por los extremos*)

TELÓN

Genealogía de Celeste Kindelán
Alfonso VII, El Emperador, rey de Castilla y de León entre el 1126 y 1167, casó en segundas nupcias con la princesa polaca Rishilda; de este matrimonio nació San-

cha, la cual casó, también en segundas nupcias, con Alfonso II, rey de Aragón entre 1161 y 1196; engendrando a Pedro II, quien tuvo con María de Montpellier a Jaime I, El Conquistador, casado en segundas nupcias (¡!) con Violante de Hungría y padre de varios hijos, entre ellos Pedro III, El Grande, rey de Aragón entre 1276 y 1285, que tuvo de Constança de Sicilia a Jaime II, El Santo, de cuyo enlace con Blanca de Nápoles naciera Alfonso V, esposo de la condesa de Urgel, Teresa de Entenza, y padre de Pedro IV, El Ceremonioso, rey aragonés entre 1336 y 1387, cuyos hijos varones con Leonora de Sicilia no le dieron descendencia, pasando la corona de Aragón al nieto, Fernando, hijo de la primogénita Leonor con Juan I de Castilla. Este Fernando I (rey entre 1412 y 1416) tuvo con Leonor de Alburquerque a Juan II, que uniera a la de Aragón la corona de Navarra, al casar con Blanca, reinando entre 1458 y 1479, y el cual de un segundo enlace con Juana Enríquez, hija del Almirante de Castilla, engendrara a Fernando V, El Católico, casado con su prima segunda Isabel –también La Católica– y reina de Castilla entre 1474 y 1504. De este matrimonio nacieron varios hijos, recayendo la corona, tras sucesivas muertes, en Juana, conocida por La Loca y enlazada con Felipe de Habsburgo, quien hacía honor al sobrenombre de El Hermoso. El hijo mayor de estos, Carlos V de Alemania y I de España entre 1516 y 1556, se unió a su prima Isabel de Portugal, naciendo así Felipe II, quien de su cuarta esposa y pariente Ana de Austria tuvo un Felipe III, unido a Margarita de Austria, pariente por igual; de tal enlace nació Felipe IV, que reinó entre 1621 y 1665. Carlos II, El Hechizado o El Impotente, hijo de este último y de Mariana de Austria, no tuvo descendencia (era, claro, impotente), pero sí la tuvo su medio hermana María Teresa que, casada con Luis XIV rey de Francia entre 1638 y 1715, fue bisabuela de Luis xv, enlazado con la polaca María Leczinska y padre del *delfín* Luis, de cuyo matrimonio con María Josefa de Sajonia naciera Luis xvi, El Desafortunado, esposo de María Antonieta de Austria-Lorena, ambos guillotinados por la plebe francesa en 1793. De esta unión nació Luis Carlos, a quien llamaron Luis xviii aun sin reinar y de quien se dice murió por 1795.

Tal aseveración no es cierta (y lo esgrimo con total seguridad porque me lo dijo Juliette Aparecida Osinga-Rossetti de Lara Geremías Conceiçao). Luis xvii, bajo otra identidad, vivió en Polonia y casó morganáticamente con Johanna Karlsson, descendiente por línea secundaria del rey Carlos xii de Suecia. Johanna, tras la muerte de Luis en 1827, emigró a los EE.UU. de Norteamérica con sus dos hijos, Luis y Ulrica. El primero, nacido en 1812, casó a los treinta y cinco años con una norteamericana descendiente de franceses y tuvo a Alfonso Luis Cristóbal, quien llevara una vida aventurera por diferentes países de América, padre casual en 1870 de María González Fitzroy, la cual se unió en matrimonio en la ciudad de Tampa a un tabaquero cubano al que dio varios hijos, entre ellos Jaime Luis Federico, que nació en 1898 y emigró hacia Santiago de Cuba o Matanzas –el lugar no ha sido precisado. Nunca se casó, pero sí tuvo relaciones de concubinato; primero con Juana Pérez y Pérez y luego con Eduvigis Kindelán, santiaguera de origen y negra. De estas segundas relaciones nació hacia 1922 Claro Kindelán, que no fue reconocido por el padre. Gracias a esta irresponsabilidad pudo apellidar en 1950 a su hija mayor, Celeste, portadora del apellido de la abuela. Por su parte de la primera unión en concubinato de Jaime Luis Federico nació, en 1920, Juana, madre soltera y progenitora de otra Juana en 1948 quien, también soltera, tuvo a Johanna en 1972. Las modas de la década de los 70, extranjerizando los nombres sin conocer muchas veces su significado lato, permitieron que esta Johanna que Martha Rita ha ficcionalizado rinda honor a sus ancestros escandinavos (¿recuerdan a la Karlsson?) La casualidad quiso que fuera, en este texto cañonero, la prima segunda de Celeste Kindelán por vía de su madre Juana, con nombre bien castizo, recordando aquel de la Juana medieval, bella y loca, que le antecediera premonitoriamente. No podía ser Johanna, pues, de otra manera.

octubre y 1996

JORGE ÁNGEL HERNÁNDEZ PÉREZ
(Vueltas, 1961)

Narrador, crítico y poeta. Autor de *Relaciones de Osaida* (1989), *Paisajes y leyendas* (1991), *Hamartia* (1995), con el que ganó un año antes el Premio de la Ciudad de Santa Clara, y *La parranda* (Fundación Fernando Ortíz, 2000). Dirige la revista *Umbral*, de Villa Clara. Su libro *La luz y el universo* obtuvo el Premio de novela de la Editorial Oriente en el año 2001.

ANA LIDIA VEGA SEROVA
(Leningrado, 1968)

Narradora y pintora. Obtuvo, con *Bad painting*, el Premio David de cuento, en 1997. La Editorial Letras Cubanas publicó en 1998 *Catálogo de mascotas*. En el año 2001 apareció publicado por Ediciones Unión su libro de cuentos *Limpiando ventanas y espejos*.

ERNESTO PÉREZ CHANG
(La Habana, 1971)

Narrador e investigador. Ganó en 1998 la beca de creación Onelio Jorge Cardoso de *La Gaceta de Cuba*, con el cuento "Situaciones violentas, personajes infames y un blúmer rosa" Al año siguiente conquistó el Premio David de cuento con *Últimas fotos de mamá desnuda* (Ediciones Unión, 2000).

MARCIAL GALA
(La Habana, 1964)

Narrador. Ha publicado *Enemigo de los ángeles* (Ediciones Mecenas, 1994) y *El juego que no cesa* (Editorial Letras Cubanas, 1996), que ganara un año antes el Premio Pinos Nuevos.

SATURNINO RODRÍGUEZ
(Placetas, 1958)

Narrador y poeta. Obtuvo en 1999 el Premio Calendario, de la Asociación Hermanos Saíz con el libro *Manuscritos en papel de cigarro* publicado por la Casa Editora Abril en el año 2000. Ha recibido otros reconocimientos, como la Primera Mención en poesía del Premio El Caimán Barbudo, 1989. Tiene a su cargo la sección "Los raros" de dicha publicación cultural.

SOLEIDA RÍOS
(Santiago de Cuba, 1950)

Narradora y poeta. Autora, entre otros, de *Entre mundo y juguete* publicado por la Editorial Letras Cubanas en 1987; *El libro roto*, Ediciones Unión, 1994; *Libro cero*, Editorial Letras Cubanas, 1998; *El texto sucio*, editado por Ediciones Unión, en 1999; y *El libro de los sueños*, publicado por la Editorial Letras Cubanas ese mismo año.

ALBERTO GARRIDO
(Santiago de Cuba, 1966)

Narrador y poeta. Ganador, del Premio de novela erótica La llama doble, en 1998, con *La leve gracia de los desnudos* publicado por la Editorial Letras Cubanas en 1999 y del Premio Casa de las Américas, 1999 con el libro de cuentos *El muro de las lamentaciones*. (Casa, 2000). La Editorial Letras Cubanas publicó en 1994 su libro *El otro viento del cristal*. Con el cuento aquí recogido conquistó el Premio de *La Gaceta de Cuba*.

ROGELIO RIVERÓN
(Placetas, 1964)

Narrador, poeta y periodista. Autor de *Los equivocados*, ganador del Premio Luis Rogelio Nogueras en 1990 y publicado por Ediciones Extramuros en 1992. En 1996 se publica *Subir al cielo y otras equivocaciones*, libro que obtuviera el Premio Pinos Nuevos en el género de cuento en 1995. En 1997 recibió el Premio Nacional de Periodismo Cultural. La Editorial Capiro dio a conocer en 1998 su novela *Mujer, Mujer*. Recibió el Premio UNEAC de cuento, 1999 con *Buenos días, Zenón* publicado por Ediciones Unión en el año 2000. Obtuvo Mención en cuento en el Premio Casa de las Américas, 2001.

RONALDO MENÉNDEZ PLASCENCIA
(La Habana, 1967)

Narrador. Publicó bajo el sello de Ediciones Unión, en colaboración con Ricardo Arrieta, *Alguien se va lamiendo todo* en 1997, ganador del Premio David de cuento, en 1990. En 1997 recibió el Premio Casa de las Américas por el libro de cuentos *El derecho al pataleo de los ahorcados* (Casa, 1998).

ENA LUCÍA PORTELA
(La Habana, 1972)

Narradora. Recibió en 1997 el premio UNEAC por la novela *El pájaro: pincel y tinta china* editado por Ediciones Unión en 1999. En ese mismo año, la Editorial Letras Cubanas, publicó su libro de cuentos *Una extraña entre las piedras.* Conquistó, también en 1999, el Premio Juan Rulfo, de Radio Francia Internacional. En el año 2001 Ediciones Unión dio a conocer su novela, *La sombra del caminante.*

JESÚS DAVID CURBELO
(Camagüey, 1965)

Poeta, narrador y crítico. Ha recibido, entre otros, el Premio David de poesía, en 1991, el Regino Boti de cuento en 1992, y el Premio Fundación de la Ciudad de Santa Clara de poesía en 1996. Ha publicado los poemarios *Insomnios* (Editorial Acana, 1994), *Extraplagiario* (Ediciones Holguín, 1995), *Salvado por la danza* (Ediciones Unión, 1995), *Libro de cruel fervor* (Editorial Capiro, 1997), *Libro de Lilia Amel* (Editorial Sed de Belleza, 1998) y *El lobo y el centauro* (Editorial Capiro, 2001); así como los volúmenes de relatos *Cuentos para adúlteros* (Ediciones Chau Bloqueo, Buenos Aires, 1995; Editorial Letras Cubanas, 1997) y *Tres tristes triángulos* (Reina del Mar Editores, 2000), y también las novelas *Inferno* (Editorial Letras Cubanas, 1999) y *Diario de un poeta recién cazado* (Editorial Oriente, 1999).

JORGE ÁNGEL PÉREZ
(Encrucijada, 1963)

Narrador. Ganó el Premio David, 1995 en el género de cuento, con *Lapsus calami*, (Ediciones Unión, 1996). Premio UNEAC de novela 2000, con *El paseante Cándido*, publicado por Ediciones Unión en el año 2001. La editorial Colibrí, de México, con el título de *Cándido habanero*, lo publicó ese mismo año.

ALEJANDRO ROBLES

Con el cuento "Los muertos" ganó el premio de *La Gaceta de Cuba* en 1994.

AYMARA AYMERICH CARRASCO
(Ciudad de La Habana, 1976)

Narradora. Ganó en 1998 el Premio Farraluque de poesía erótica. Premio Calendario, de la Asociación Hermanos Saíz, 1998. En 1999 recibió el Premio Dador, del Instituto Cubano del Libro y el David de poesía. La Casa Editora Abril le publicó en 1999 el cuaderno *Deseos líquidos*, en colaboración con Elvira Rodríguez Puerto y la editorial Unión dio a conocer *in útero* en el año 2000.

LORENZO LUNAR CARDERO
(Santa Clara, 1958)

Narrador. Publicó en 1995 el libro de cuentos *El último aliento* (Editorial Capiro), que había ganado un año antes el Premio de la II Bienal de Narrativa de Villa Clara. Es autor de la novela *Échame a mí la culpa* (Editorial Capitán San Luis, 2000). Ganó en 1999 y en 2001 el Premio de cuento Semana Negra, de Gijón, España.

CARLOS ESQUIVEL
(Las Tunas, 1968)

Poeta y narrador. Ha publicado *Perros ladrándole a Dios* (Sanlope, 1999) y *Fuera del círculo* (Sanlope, 2000).

NOËL CASTILLO GONZÁLEZ
(Sancti Spíritus, 1968)

Crítico, narrador y poeta; miembro de la Asociación Hermanos Saíz en Villa Clara. Licenciado en Filología por la Universidad Central de Las Villas. La Casa Editora Abril publicó en el 2000 su libro *¿Dónde estará Celeste Kindelán?*, Premio Calendario de cuento en 1999. Es autor, además, del poemario *El pecho de los ángeles* (Reina del Mar Editores, 2001).